Kohlhammer

Pflege fallorientiert lernen und lehren

Herausgegeben von Karin Reiber, Juliane Dieterich, Martina Hasseler und Ulrike Höhmann

Die geplanten Bände im Überblick

- Ambulante Pflege
- Ambulante und stationäre Palliativpflege
- Chirurgie
- Fallbasierte Unterrichtsgestaltung – Grundlagen und Konzepte
- Geriatrie
- Gynäkologie und Geburtshilfe
- Innere Medizin
- Pädiatrie
- Psychiatrie
- Rehabilitation
- Stationäre Langzeitpflege

Juliane Dieterich
Karin Reiber

Fallbasierte Unterrichtsgestaltung Grundlagen und Konzepte

Didaktischer Leitfaden für Lehrende

Verlag W. Kohlhammer

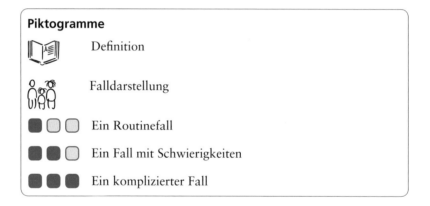

Piktogramme

	Definition
	Falldarstellung
■ □ □	Ein Routinefall
■ ■ □	Ein Fall mit Schwierigkeiten
■ ■ ■	Ein komplizierter Fall

1. Auflage 2014

Alle Rechte vorbehalten
© W. Kohlhammer GmbH, Stuttgart
Gesamtherstellung: W. Kohlhammer GmbH, Stuttgart

Print:
ISBN 978-3-17-022604-3

E-Book Formate:
pdf: 978-3-17-023859-6
epub: 978-3-17-025554-8
mobi: 978-3-17-025555-5

Inhalt

Einleitung

Die Ausübung des Pflegeberufs wird immer anspruchsvoller: Professionelles Pflegehandeln umfasst verantwortungsvolles Planen, Gestalten und Auswerten von Pflegesituationen. Die Settings, in denen diese berufliche Tätigkeit ausgeübt wird, haben sich zunehmend ausdifferenziert und die Aufgaben werden immer komplexer. Damit sind auch ganz neue Herausforderungen an die Pflegeausbildung gestellt. Die mit diesem didaktischen Begleitband eröffnete neue Buchreihe »Pflege fallorientiert lernen und lehren« versteht sich als ein Kompendium für die Pflegeausbildung, das sowohl die verschiedenen Versorgungsbereiche, in denen Pflegekräfte tätig werden, als auch die unterschiedlichen Lebensalter und -situationen der Pflegeempfänger/-innen abbildet.

Die elf Bände der Reihe spiegeln die wesentlichen Institutionen wider, in denen pflegerische Versorgung stattfindet. In einem Einleitungsteil wird in die Besonderheiten des jeweiligen Settings eingeführt. Pflegewissenschaftliche Experten-Standards und neueste wissenschaftliche Erkenntnisse werden dabei ebenso wie die Ausbildungziele der Prüfungsordnungen berücksichtigt. Bei der Darbietung von Wissen und Kenntnissen in Form von Musterfällen wird außerdem Bezug genommen auf ein Rollenmodell von professioneller Pflege, das die unterschiedlichen Aspekte des beruflichen Handelns aufzeigt und auf fallbezogene Besonderheiten und Schwerpunkte professionellen pflegerischen Handelns hinweist. Die fallorientierte Aufbereitung von Lerngegenständen greift den berufspädagogischen Trend der Kompetenz- und Handlungsorientierung auf und setzt ihn fachdidaktisch um.

Der hier vorliegende didaktische Begleitband für Lehrende führt in die Grundlagen der fallorientierten Didaktik ein und bietet Anregungen und Hilfestellungen für die konkrete Unterrichtsgestaltung mit ausgearbeiteten Fällen und Musterlösungen der Bandreihe an. Das erste Kapitel führt in Aufbau und Struktur der Lehrbuchreihe entlang der Institutionen pflegerischer Versorgung und professionellem Pflegehandeln ein. Im zweiten Kapitel werden fallorientierte Unterrichtsverfahren einführend lerntheoretisch, berufspädagogisch und pflegedidaktisch erklärt und die inhaltliche Struktur der Fälle und Lösungen näher erläutert. Im dritten Kapitel wird entlang einzelner methodischer Ansätze wie z. B. der Fallarbeit nach Kaiser, dem POL, dem szenischen Spiel und der Dilemmadiskussion erklärt, wie das Lernen und Lehren mit pflegerelevanten Falllösungen erfolgreich gestaltet werden kann. Anschaulich und realitätsnah werden hilfreiche Umsetzungsanregungen beschrieben. Das vierte Kapitel widmet sich der Lernortkooperation: Vorgestellt werden Methoden zur Praxisverknüpfung, die den Transfer im Rahmen fallorientierten Unterrichts entwickelter Kompetenzen auf die Handlungspraxis fordern und fördern.

Den Abschluss bildet ein Schlaglicht auf mögliche Schulentwicklungspotenziale durch unterschiedliche Verfahren und Instrumente der Unterrichtsentwicklung im Kontext fallorientierter Didaktik.

Dieser Band wendet sich an Lehrende in der Pflegeaus- und Weiterbildung an Schulen, Hochschulen oder im Praxisfeld sowie an Studierende der Pflegepädagogik.

Kassel/Tübingen im März 2014

1 Die Struktur der Buchreihe »Pflege fallorientiert lernen und lehren«

1.1 Institutionen und Handlungsfelder pflegerischer Versorgung

Pflegerische Versorgung wird sowohl in institutionalisierter Form als auch nicht-institutionalisiert geleistet. Die Ausbildung zur professionellen Pflegefachkraft erfolgt innerhalb und für die institutionalisierte Form pflegerischer Versorgung. Im Hinblick auf die Institutionen pflegerischer Versorgung hat sich mit einer quantitativen Zunahme des Pflegebedarfs und mit zunehmender Komplexität pflegerischer Versorgung in den letzten Jahren auch eine zunehmende Differenzierung von Handlungsfeldern entwickelt. Diese Ausdifferenzierung an Handlungsfeldern, in denen professionelle Pflegekräfte erforderlich sind und tätig werden können, bildet sich auch in den gesetzlichen Grundlagen der Pflegeausbildungen ab. In diesen Versorgungsfeldern kommen Gesundheits- und Krankenpflegerinnen, Gesundheits- und Kinderkrankenpflegerinnen und Altenpflegerinnen zum Einsatz.

Die Auszubildenden in der Gesundheits- und Krankenpflege und Gesundheits- und Kinderkrankenpflege müssen unterschiedliche Handlungsfelder im Rahmen ihrer praktischen Ausbildung durchlaufen. In der geltenden Ausbildungs- und Prüfungsordnung werden Praxiseinsätze in den folgenden Fachgebieten verbindlich vorgegeben (vgl. KrPflAPrV, Anlage 1, 2004, S. 10):

Orte der praktischen Ausbildung

- »Gesundheits- und Krankenpflege von Menschen aller Altersgruppen in der stationären Versorgung in kurativen Gebieten in den Fächern Innere Medizin, Geriatrie, Neurologie, Chirurgie, Gynäkologie, Pädiatrie, Wochen- und Neugeborenenpflege sowie in mindestens zwei dieser Fächer in rehabilitativen und palliativen Gebieten
- Gesundheits- und Krankenpflege von Menschen aller Altersgruppen in der ambulanten Versorgung in präventiven, kurativen, rehabilitativen und palliativen Gebieten.«

Zur Differenzierung der Ausbildung zur Gesundheits- und Krankenpflege von der zur Gesundheits- und Kinderkrankenpflege kommen für die erst genannte die stationäre Versorgung in der Psychiatrie für die zweit genannte die stationäre Versorgung in der Neonatologie, Kinderchirurgie, Neuropädiatrie, Kinder- und Jugendpsychiatrie hinzu.

Für die Altenpflege werden im Altenpflegegesetz von 2003 für die praktische Ausbildung die Handlungsfelder Pflegeheim und ambulanter Pflegedienst festgelegt. Neben diesen Pflichteinsätzen sind Einsätze in weiteren Handlungsfeldern möglich, in denen ältere Menschen versorgt und gepflegt werden (vgl. AltPflG 2003, § 4, Abs. 3):

- psychiatrische Kliniken mit gerontopsychiatrischer Abteilung oder andere Einrichtungen der gemeindenahen Psychiatrie,
- Allgemeinkrankenhäuser, insbesondere mit geriatrischer Fachabteilung oder geriatrischem Schwerpunkt,
- geriatrische Rehabilitationseinrichtungen,
- Einrichtungen der offenen Altenhilfe.

Aus der Zusammenschau der Versorgungsbereiche, die sowohl die praktische Ausbildung aller drei Pflegeberufe als auch deren spätere Handlungsfelder umfassen, leitet sich die Bandstruktur der Lehrbuchreihe ab. Jedem wichtigen Handlungsfeld ist ein eigener Band von »Pflege fallorientiert lernen und lehren« gewidmet:

- Ambulante Pflege
- Ambulante und stationäre Palliativpflege
- Chirurgie
- Geriatrie
- Gynäkologie und Geburtshilfe
- Innere Medizin
- Pädiatrie
- Psychiatrie
- Rehabilitation
- Stationäre Langzeitpflege

Pflegerische Handlungsfelder

Dieses Strukturierungsprinzip einer Lehrbuchreihe bildet insofern einen neuartigen Ansatz, als es einen induktiven Zugang zum Kompetenzerwerb für reale handlungsfeldbezogene Anforderungen bietet. Ausgangspunkt der Bände ist die Besonderheit der pflegerischen Versorgung in diesem Handlungsfeld und nicht die in dem jeweiligen Bereich vorherrschenden Krankheitsbilder, die sonst häufig Pflegelehrbücher strukturieren. Nachdem das pflegerische Handlungsfeld einleitend umrissen wurde, wird im zweiten und umfangreicheren Teil das pflegespezifische Wissen konsequent fallorientiert aufbereitet und dargeboten. Auch hier folgt also die Darstellung den Situationen, wie sie professionell Pflegenden begegnen und als Handlungsaufforderung wirksam werden, da sie nicht einer medizinischen Systematik folgen. Bereits nach ersten Praxiserfahrungen ergibt sich dadurch ein Wiedererkennungseffekt, der es den Lernenden ermöglicht, sich in die Fälle einzudenken und -zufühlen und Wissen handlungsbezogen zu erwerben.

Der Reihentitel »Pflege fallorientiert lernen und lehren« leitet sich aus dem Anspruch ab, die nach institutionellen Handlungsfeldern gegliedertten pflegerischen Versorgungsbereiche anhand von Fällen darzustellen. Mit dieser Gesamtstruktur verbindet sich auch das Anliegen, die Bereiche möglichst handlungsorientiert, realitätsnah und lerngerecht aufzubereiten. Die Bände verstehen sich darüber hinaus als Lernunterstützung für die Auszubildenden, sollen andererseits aber auch den Lehrenden Grundlagen, Ideen und Materialien für die Unterrichtsvorbereitung bieten.

1.2 Kompetenzen und Rollen professionell Pflegender

Berufliche Handlungskompetenz ist das Leitziel aller Berufsausbildungen, so auch der Pflegeausbildungen. Dieses Ziel bezieht sich auch und gerade auf den theoretischen Teil der Ausbildung am Lernort Schule. Nicht träges, gerade noch für die Prüfung abrufbares und nach Fächern sortiertes Wissen, sondern umsichtige und reflektierte Problemlösungskompetenz ist hier gefragt!

Mit ihrem konsequent fallorientierten Aufbau bezieht sich die Buchreihe »Pflege fallorientiert lernen und lehren« auf dieses Ziel, ausgehend vom Pflegeunterricht Kompetenz anzubahnen (vgl. hierzu ▸ **Kap. 2**). Dabei wird Kompetenz in Anlehnung an die weithin anerkannte Definition von Weinert (2001, S. 27 f.) bestimmt.

Weinert (2001, S. 27 f.) definiert Kompetenz als die Bereitschaft und Fähigkeit, Wissen, Fertigkeiten und Fähigkeiten in einer konkreten Handlungssituation zu verknüpfen, um eine Herausforderung zu bewältigen bzw. ein Problem zu lösen. Wissen, Fertigkeiten und Fähigkeiten stellen dabei die personalen Ressourcen eines Menschen dar, die um externe Ressourcen erweitert werden können. Diese externen Ressourcen kann die Unterstützung durch andere Menschen oder auch die Nutzung von zugänglichen Informationen sein. Die Fähigkeit, Unterstützung durch andere zu organisieren bzw. sich Zugang zu Informationen zu verschaffen und diese auszuwerten, ist ebenso Bestandteil der Kompetenz.

Der Einsatz der personalen Ressourcen und die Art und Weise der Nutzung von externen Ressourcen wird beeinflusst von individuellen Werten, Einstellungen und Bedürfnissen. Diese Normen und Motive sind mit entscheidend dafür, ob und in welcher Weise personale Ressourcen eingesetzt und externe Ressourcen in Anspruch genommen werden. In jedem Fall bedarf es einer echten Herausforderung, um einen Handlungsimpuls auszulösen, der darin gipfelt, dass Kompetenz gezeigt wird und zur Anwendung kommt (Performanz).

Kompetenz – Ein Modell

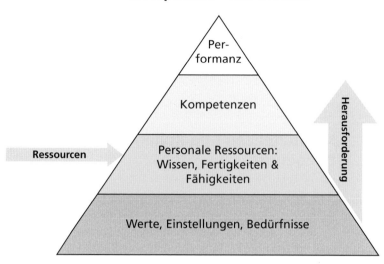

Abb. 1.1:
Kompetenzmodell
(Reiber, 2012, S. 13)

Aufbau der Reihe

Der fallorientierte Aufbau der Reihe soll Lehrende und Lernende dabei unterstützen, Wissen, Fertigkeiten und Fähigkeiten darzubieten bzw. zu erwerben im Hinblick auf ein in der Fallbeschreibung dargelegtes Problem. Dabei werden Lehrende und Lernende das rund um die Fallbeschreibungen und Musterlösungen bereitgestellte Material und ggf. noch zusätzliche weitere Informationsquellen (z. B. Internet, medizinische Fachbücher) nutzen. Sie werden darüber hinaus immer wieder dazu angeregt, die eigenen handlungsleitenden Haltungen zu reflektieren.

Professionelles Pflegehandeln ist äußerst komplex. Es umfasst manuelle Routinefertigkeiten ebenso wie das schnelle Entscheiden und Handeln in völlig unvorhergesehenen Situationen, wie z. B. einem akuten Notfall. Neben der fachlichen und Methodenkompetenz benötigen professionell Pflegende ein großes Repertoire an sozialen und personalen Kompetenzen, um den vielschichtigen Herausforderungen im täglichen Umgang mit kranken bzw. von Krankheit bedrohten Menschen angemessen zu begegnen. Die Zusammenarbeit in einem Team von Angehörigen unterschiedlicher Berufsgruppen macht es darüber hinaus erforderlich, sich in andere professionelle Perspektiven und Sichtweisen einzudenken und über die eigene professionelle Position in eine verständliche Aushandlung treten zu können.

Aufgabenschwerpunkte

Pflegeexpertin

Dieser Facettenreichtum des professionellen Pflegehandelns wird in den Bänden in Form unterschiedlicher Aufgabenschwerpunkte abgebildet, die situativ in den Vordergrund treten können. Im Mittelpunkt steht der Aufgabenschwerpunkt der Pflegeexpertin mit ihrer Problemlösungskompetenz im Rahmen des Pflegeprozesses (ausführlicher dazu ▶ Kap. 1.3): Es geht hier immer darum, eine Situation mit ihren Problemen, Gefahren und Ressourcen umfassend einzuschätzen und die Vision eines besseren Zustands zu entwerfen. Im Vergleich von Ist- und Soll-Zustand werden unter Beteiligung der Betroffenen die Ziele herausgearbeitet, die in dieser spezifischen Situation maximal erreichbar sind. Auf Basis dieser Ziele werden wiederum die Pflegeinterventionen, deren Zwischen- und Endergebnisse geplant und durchgeführt. Die Abschlussevaluation ermittelt die Wirksamkeit der durchgeführten Maßnahmen und ob bzw. inwieweit die Ziele erreicht wurden. Aus ihr werden ggf. weitere Schritte und Maßnahmen abgeleitet.

Alle weiteren Aufgabenschwerpunkte sind Aspekte des Expertenhandelns und in dieses integriert (vgl. Reiber, 2012):

- *Vermittlerin*: Die Pflegeexpertin kann Informationen unterschiedlichster Quellen aufnehmen, konstruktiv auswerten und miteinander verknüpfen. Sie kann Informationen und ihr eigenes Fachwissen situations- und zielgruppengerecht vermitteln. Sie kann mit Betroffenen und Beteiligten die Ziele und Maßnahmen aushandeln, wobei sie ihre Erfahrung und ihr Wissen dazu nutzt, die zu erwartenden Wirkungen darzulegen. Vermittlerin

- *Interprofessionelle Partnerin*: Die Pflegeexpertin arbeitet mit Angehörigen anderer Gesundheitsberufe fall- und patientenbezogen gleichberechtigt zusammen. Sie bezieht auch Patienten und ggf. ihre Angehörigen in die Zusammenarbeit mit ein. Sie kann Dienstleistungen anderer Organisationseinheiten, wie beispielsweise der Verwaltung oder der Hauswirtschaft, sinnvoll für die Unterstützung ihres professionellen Pflegehandelns nutzen. Umgekehrt liefert sie ihnen die Daten und Informationen, die sie zur Bereitstellung diese Unterstützungsprozesse benötigen. Interprofessionelle Partnerin

- *Managerin*: Die Pflegeexpertin kann alle mit der Problemlösung verbundenen Organisations- und Steuerungsarbeiten wahrnehmen und führt diese so aus, dass sie dem eigentlichen professionellen Pflegehandeln dienen (und nicht umgekehrt). Sie trifft Entscheidungen auf der Basis von anerkannten und transparenten Kriterien und macht diese anderen nachvollziehbar. Sie geht verantwortlich mit den begrenzten Ressourcen Umwelt, Finanzen, Zeit und Personal um. Managerin

- *Gesundheitsfürsprecherin*: Die Pflegeexpertin stellt ihr Handeln in den Dienst der Gesundheit einzelner Menschen, sozialer Gruppen und der Gesellschaft. Sie nimmt im Rahmen des Pflegeprozesses eine ressourcenorientierte Perspektive ein, um gesundheitliche Potenziale eines Menschen und seines Umfeldes bestmöglich zu berücksichtigen. Dabei hat sie nicht nur die aktuelle Situation, sondern auch zukünftige gesundheitliche Potenziale und Risiken der Person im Blick. Gesundheitsfürsprecherin

- *Lernende und Lehrende*: Die Pflegeexpertin entwickelt ihre Kompetenz fortlaufend weiter und stellt sie anderen als Anleiterin, Mentorin und auch als Vorbild zur Verfügung. Sie unterstützt, so es in ihrer Funktion erforderlich ist, Forschung und Entwicklung und beteiligt sich regelmäßig an Fort- und Weiterbildungen. Lernende und Lehrende

- *Professionelles Vorbild*: Die Pflegeexpertin folgt in ihrem Handeln und Verhalten den Standards ihrer Profession, steht hinter deren Berufsko- Professionelles Vorbild

13

dex und trägt aktiv in der täglichen Berufspraxis zu seiner Umsetzung bei. Sie beteiligt sich an der Weiterentwicklung des Pflegeberufs und trägt zu seinem gesellschaftlichen Ansehen bei, ohne anderen Professionen zu schaden.

Diese Aufgabenschwerpunkte sind hergeleitet und für das professionelle Pflegehandeln adaptiert aus dem CanMEDS-Modell (Frank, 2005), den »Canadian Medical Education Directions for Specialists« (Frank, 2005, S. vii), das dank seiner weiten Verbreitung nicht mehr nur auf die Ausbildung von Medizinern und auf den kanadischen Raum begrenzt ist. Inzwischen wird das Modell auch in Europa und im deutschsprachigen Raum für Ausbildungsreformen und im Rahmen der Curriculumentwicklung genutzt – nicht nur mit Blick auf die medizinische Ausbildung, sondern auch für andere Gesundheitsberufe (vgl. Reiber, 2012; ▸ Abb. 1.2).

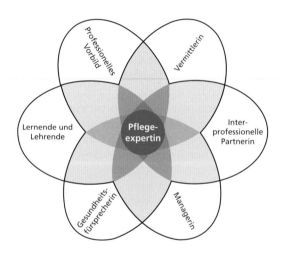

Abb. 1.2:
Das CanMEDS-Modell
(vgl. Frank, 2005, S. 3,
eigene Übersetzung)

Für die Bearbeitung der Fälle bedeutet dieses Rollenmodell, dass jeder Fall als Problemlösungsprozess strukturiert wird. Die Lösung des Falls kann entlang der Wissensgebiete vorgenommen werden, die die Ausbildungs- und Prüfungsverordnungen vorgeben, d. h. das Wissen wird fallbezogen nach originärem pflegebezogenem und gesundheitswissenschaftlichem Fachwissen oder pflegerelevanten Kenntnissen aus Medizin, Naturwissenschaften, Geistes- und Sozialwissenschaften sowie aus Recht, Politik und Wirtschaft (vgl. KrPflAPrV, Anlage 1, 2004) aufbereitet und dargestellt.

Innerhalb des Problemlösungsprozesses werden die einzelnen Aufgabenschwerpunkte gemäß ihrer Bedeutung im jeweiligen Fall herausgearbeitet.

Vermittlerin   Treffen in einem Fall unterschiedliche Interessen des Pflegeempfängers, seiner Angehörigen und der professionellen Beteiligten aufeinander, ist die Pflegeexpertin in ihrer Rolle als Vermittlerin gefragt: Sie handelt mit allen Betroffenen und Beteiligten unter Einbeziehung ihrer fachlichen

Kompetenz aus, welche Ziele mithilfe welcher Maßnahmen erreicht werden sollen. In einem sehr komplexen Setting pflegerischer Versorgung mit einer hohen Beteiligung anderer Gesundheitsfachberufe sowie zahlreichen weiteren Dienstleistungen tritt die Pflegeexpertin in ihrer Rolle als interprofessionelle Partnerin auf, indem sie mit den anderen Berufsangehörigen sowie Organisationseinheiten die erforderlichen Informationen austauscht. Wenn sie innerhalb dieses komplexen Settings die Steuerungsfunktion wahrnimmt, indem sie alle weiteren Dienstleistungen patientenbezogen koordiniert, ist ihre Rolle die der Managerin. Im Sinne von Case Management steuert sie den Fall so aus, dass keine Informationen verloren gehen und der Betroffene nicht unnötig (z. B. durch Mehrfachuntersuchungen und -abläufe) belastet wird. Zur Gesundheitsfürsprecherin wird sie in Fällen, in denen sie sich nicht nur für die Heilung oder Linderung von Krankheiten einsetzt, sondern sich ganz dezidiert für die Gesundheitsförderung stark macht. Dies kann sich auch auf Situationen beziehen, in denen nicht einzelne Pflegeempfänger im Mittelpunkt stehen, sondern die Situation an sich: So kann sie sich z. B. für gesundheitsförderliche Versorgungsstrukturen und Arbeitsbedingungen einsetzen, die dann allen Pflegeempfängern und Kollegen zu Gute kommen. Ist ein Fall dadurch gekennzeichnet, dass die anderen beteiligten Pflegekräfte noch sehr unerfahren sind, wird der Aufgabenschwerpunkt »Lehrende und Lernende« eine besondere Rolle spielen, weil die Pflegeexpertin hier besondere Funktionen in der kollegialen Anleitung wahrnimmt. Gehört zur Falllösung, dass der Betroffene zeitweise oder dauerhaft selbst eine Pflegeintervention (z. B. Blutzuckermessung und Insulininjektion bei Diabetes mellitus) durchführen muss, liegt der Aufgabenschwerpunkt der Pflegeexpertin ebenfalls in der Lehrenden-Rolle: Sie muss Patienten und/oder Angehörige dazu anleiten und dabei beraten, diese Aufgabe mit zunehmender Selbstständigkeit selbst auszuführen. Beinhaltet ein Fall ein ethisches Dilemma (z. B. die Frage nach lebensverlängernden Maßnahmen, wenn eine Patientenverfügung vorliegt), ist die Pflegeexpertin ihrer Rolle als professionelles Vorbild gefragt: In ihrem Handeln bilden sich die Standards ihrer Profession ab und sie tritt für ihren Berufskodex ein.

Interprofessionelle Partnerin

Managerin

Gesundheitsfürsprecherin

Lernende und Lehrende

Professionelles Vorbild

1.3 Der Pflegeprozess als Handlungsstruktur

Kern des Expertenhandelns ist der Pflegeprozess. Deshalb bildet er als professioneller Problemlösungsprozess die Handlungsstruktur bei der Fallbearbeitung ab. Der Pflegeprozess ist eine systematische und wissenschaftlich fundierte Vorgehensweise, um pflegerische Probleme zu beheben, zu verhüten oder zu kompensieren; er besteht aus verschiedenen Phasen oder Schritten (vgl. Brobst et al., 2007). Diese Definition des Pflegeprozesses als Problemlösungsprozess hat für die fallorientierte Didaktik eine weitreichende Bedeutung: Bei der Fallbearbeitung wird eine konsequent lösungsorientierte Perspektive eingenommen!

Professioneller Problemlösungsprozess

Die Phasen und Schritte dieses Problemlösungsprozesses entfalten eine vollständige professionell-pflegerische Handlung von der Situationseinschätzung bis hin zur Evaluation der auf der Basis von Zielen gewählten und durchgeführten Intervention(en). Im Einzelnen lassen sich folgende Handlungsschritte unterscheiden (vgl. Brobst et al., 2007; Stefan et al., 2005):

1. Pflegeassessment: Sammlung und Einschätzung aller objektiven und subjektiven Daten zur Gesundheits- und Pflegesituation der Klientin, einschließlich ihrer Ressourcen und Fähigkeiten und des Potenzials ihres Umfeldes;
2. Pflegediagnose: Analyse der erhobenen Daten und Zuordnung zu einem bestehenden Klassifikationssystem (z. B. NANDA, ICNP) oder frei formuliert mit dem Ziel, die Ist-Situation zu erfassen, um daraus die Ziele abzuleiten;
3. Pflegeplanung: Die Pflegediagnosen werden priorisiert gemäß ihrer Bedeutung für den Betroffenen und ihrer Dringlichkeit; Ziele werden als positiver Gegenentwurf zur Ausgangssituation formuliert und mit entsprechenden Überprüfungskriterien hinterlegt. Vor dem Hintergrund der Pflegediagnosen und mit der Ausrichtung auf die fest gelegten Ziele werden die Maßnahmen und Interventionen geplant und dokumentiert, die von der Ist- zur Soll-Situation führen;
4. Pflegeimplementation: Durchführung und Dokumentation der ausgewählten Maßnahmen sowie die handlungsbegleitende Einschätzung und Überwachung;
5. Pflegeevaluation: Erhebung der Ergebnisse sowie Bewertung und Dokumentation der Zielerreichung.

Dieses Phasenmodell ist weder mit dem fünften und letzten Schritt abgeschlossen, noch eine Endlosschleife. Vielmehr handelt es sich um ein spiralförmiges Vorgehen insofern, als nach dem Abschluss eines Handlungsablaufs ein oder mehrere weitere Abläufe folgen können, die aber jeweils einen anderen Ausgangspunkt haben. Der Begriff »Pflegeprozess« bringt ja bereits sprachlich zum Ausdruck, dass es sich hierbei um eine dynamische Entwicklung handelt.

Der Pflegeprozess steht gleichsam für die fortschreitende Professionalisierung pflegerischen Handelns: Im Rahmen dieses Prozesses wird das Handeln wissenschaftlich fundiert und systematisch geplant, es wird dokumentiert und damit transparent gemacht und legitimiert und es wird sowohl selbst ausgewertet und eingeschätzt als auch einer externen Überprüfung zugänglich gemacht. Aus diesem Grund bildet der Pflegeprozess den Kern des Expertenhandelns und somit professionell-pflegerischer Handlungskompetenz.

Für die Fallbearbeitung im Rahmen didaktischen Handelns bedeutet dies, dass die Schritte des Pflegeprozesses spiralförmig erarbeitet werden.

Eingewoben in diesen Problemlösungsprozess werden dann die anderen Rollenaspekte, die jeweils eine bedeutende Rolle spielen. So ist es z.B. denkbar, dass im Rahmen der Informationssammlung für das Pflegeassessment die Rolle der Vermittlerin hervorgehoben werden muss oder für die Einschätzung dieser Informationen die Rolle der Lernenden besonders bedeutsam wird, da spezifisches Fachwissen erworben werden muss, um die erhobenen Informationen angemessen einschätzen zu können. Bei der Pflegeplanung kann wiederum die Rolle der Gesundheitsfürsprecherin hervorstechen, da sowohl Zielformulierung als auch Maßnahmenplanung dezidiert auf Ressourcen und Bedürfnissen des Betroffenen bezogen werden. Im Rahmen der Umsetzung haben die Rollen der interprofessionellen Partnerin und der Managerin eine zentrale Funktion, da die Pflegeinterventionen mit diagnostischen und therapeutischen Interventionen anderer Gesundheitsberufe abgestimmt werden müssen oder der Pflegeperson sogar die Aufgabe zukommt, alle erforderlichen Maßnahmen des Gesundheitssystems bezogen auf einen Fall bzw. die betroffene Person miteinander zu matchen.

Abb. 1.3: Modifiziertes und erweitertes Rollenmodell (Reiber, 2012, S. 32)

1.4 Komplexität von Fall- und Pflegesituationen

Neben der Anordnung nach institutionellen Handlungsfeldern, den Rollen und Kernkompetenzen professionell Pflegender und dem Pflegeprozess als Handlungsrahmen spielt bei der Fallbearbeitung im Rahmen der fallorientierten Didaktik natürlich auch eine Rolle, wie komplex die darin vorgestellte Pflegesituation ist. In einem weniger komplexen Fall kann stärker auf Handlungsroutinen zurückgegriffen werden und Komplikationen bzw. nicht absehbare Verlaufsveränderungen sind unwahrscheinlicher. Beides nimmt mit der Komplexität eines Falls zu, so dass in einem komplexeren Fall ein flexibleres professionelles Handeln erforderlich ist, das sich an dynamische Situationen zeitnah anpassen kann. Auch ist in einem komplexeren Fall vermehrt mit Rollenkonflikten zu rechnen, weil zeitgleich hohe Anforderungen an unterschiedliche Rollenaspekte gestellt werden. Aus diesem Grund variieren die Fallbeschreibungen im Rahmen der fallorientierten Didaktik zwischen wenig bis hoch komplexen Pflegesituationen.

Für die Hierarchisierung von Pflegesituationen gemäß ihrer Komplexität und den damit verbundenen Anforderungen an Qualifikation und Kompetenz von Pflegenden bietet der Europäische Qualifikationsrahmen (EQR) eine hilfreiche Struktur (vgl. Olbrich, 2010; DBR, 2007). Bezieht man die formalen Qualifikationsstufen auf den Anforderungsgehalt der damit zu bewältigenden Pflegesituation ergibt sich folgende Systematik:

- Stabile Pflegesituationen, in denen orientierte Personen bei ihrer Selbstpflege und ggf. bei hauswirtschaftlichen Leistungen unterstützt werden: »Ausgangspunkt ist die Erhaltung und Förderung der Selbstständigkeit des Pflegebedürftigen« (de Jong/Landenberger, 2005, S. 123).
- Medizinisch-pflegerische komplexe Situationen, die über Standards und Handlungsvorschriften hinausgehen und die auch Beratungs-, Anleitungs-, Koordinations- und Qualitätssicherungsfunktionen umfassen (vgl. de Jong/Landenberger, 2005).

Diese beiden Situationsbeschreibungen markieren die Endpunkte eines Kontinuums, auf dem sich die Fallbeschreibungen bewegen. Anders als in der Adaption des EQR auf die Neuordnung einer formalen Qualifikationsstruktur der pflegeberuflichen Bildung (DBR, 2007) bzw. für die Zuordnung von Lernebenen zu einem bestimmten Qualifikationsniveau (Olbrich, 2010) dient die Differenzierung der Fälle in dieser Bandreihe dazu, das Lernen – zunächst unabhängig vom formalen Qualifikationsniveau – in einer gestuften Abfolge zu ermöglichen. Deshalb werden zunächst stabile Pflegesituationen vorgestellt und dann nachfolgend der Komplexitätsgrad der Fälle analog ansteigend mit dem Lernfortschritt gesteigert.

1.5 Neue Formen der Pflegeausbildung

Die Reihenstruktur mit ihren nach pflegerischen Handlungsfeldern geordneten Bänden wurde eingangs mit Verweis auf die beiden die bisherigen Pflegeausbildungen regelnden gesetzlichen Grundlagen begründet. Weiterhin wurden im ersten Teilkapitel als Zielgruppe die Lernenden und Lehrenden dieser Pflegeausbildungen definiert. Allerdings werden sich diese Ausbildungsformen zukünftig grundlegend verändern.

Ein neues Pflegegesetz ist in Vorbereitung und ein Eckpunktepapier, das die wichtigsten Neuerungen bereits benennt, ist veröffentlicht (Bund-Länder-Arbeitsgruppe Weiterentwicklung der Pflegeberufe, 2012). Darüber hinaus hat der Wissenschaftsrat (2012) eine Empfehlung zur Akademisierung aller Gesundheitsberufe publiziert. In der Zusammenschau beider zukunftsweisenden Dokumente lassen sich zwei wesentliche Entwicklungslinien erkennen (vgl. Reiber/Linde, 2013):

- Vereinheitlichung der bisher nach Lebensaltern (Kinder, Erwachsene, ältere/alte Menschen) differenzierten Pflegeausbildungen: Eine weitgehend einheitliche (generalistische) Ausbildung soll dazu beitragen, dass der quantitative Bedarf an Pflegekräften für alle pflegerischen Versorgungssettings gedeckt werden kann – auch bei weiterhin ansteigendem Pflegebedarf.
- Erweiterung der Ausbildungsmöglichkeiten im tertiären Bereich um Pflegestudiengänge, die auf Basis der Hochschulzugangsberechtigung zu einem ersten berufsqualifizierenden Abschluss führen. Diese Akademisierung eines Teils der Pflegeausbildung ist die Reaktion auf die steigende Komplexität des pflegeberuflichen Handelns und soll in qualitativer Hinsicht die pflegerische Versorgung auch in Feldern und Fällen sicherstellen, die eine sehr hohe Selbstständigkeit verlangen.

Die Lehrbuchreihe wurde für die aktuell gültige Form der Pflegeausbildungen konzipiert, jedoch bereits mit Blick auf die bevorstehenden Reformen. Die Bände der Lehrbuchreihe decken alle wichtigen und relevanten Handlungsfelder der drei bisherigen Pflegeberufe ab und sind deshalb gut als Lehr-Lern-Mittel für die generalistische Pflegeausbildung geeignet. Da die konsequent fallorientierte Darstellung an sich schon sehr anspruchsvoll ist, kann die Lehrbuchreihe auch im Rahmen von Pflegestudiengängen eingesetzt werden, die für die Pflegepraxis qualifizieren. Gerade auch die unterschiedlichen Komplexitätsgrade der Fälle und die verschiedenen didaktischen Möglichkeiten ihrer Nutzung und Bearbeitung lassen sich für Bildungsprozesse auf Hochschulniveau erschließen.

Die Lehrbuchreihe lässt sich somit sowohl für eine fallorientierte Berufsfeld- als auch Hochschuldidaktik nutzen. Während auf der Ebene der Berufsfelddidaktik alle vorliegenden fallbezogenen Daten und Informationen genutzt und ggf. weitere selbst erhoben werden, käme für eine Hochschuldidaktik auf dieser Ebene hinzu, dass fallrelevante Forschungsergebnisse recherchiert werden, die den Einzelfall in einen wissenschaftlichen Gesamtzusammenhang stellen (vgl. Reiber, 2011a).

Pflege fallorientiert lernen und lehren ...

	... in der ambulanten Pflege	... in der stationären Langzeit-pflege	... in der Inneren Medizin	... in der Chirurgie	... in der Gynäkologie und Geburtshilfe	... in der Psychiatrie	... in der Pädiatrie	... in der Rehabilitation	... in der ambulanten und stationären Palliativpflege	... in der Geriatrie
Pflegeexpertin										
Kommunikatorin										
Interprofessionelle Partnerin										
Managerin										
Gesunheitsfürsprecherin und -beraterin										
Lehrende und Lernende										
Professionelles Vorbild										

- Teil I: Übersicht über Pflege im jeweiligen Setting
- Teil II: 6 Fälle mit drei unterschiedlichen Komplexitätsgraden, anhand derer die Rollen professionellen Pflegehandelns herausgearbeitet werden

Abb. 1.4:
Matrix Reihenstruktur

20

2 Was ist fallorientierte Didaktik?

Das Lernen und Lehren anhand von Fallbeispielen ist im Bereich pflegeberuflicher Aus- und Weiterbildung nichts Neues. Durch die traditionell enge Verbindung zwischen praktischen und schulischen Ausbildungsanteilen sowie durch den pflegeberuflichen Hintergrund der meisten festangestellten Lehrenden an Schulen des Gesundheitswesens ist zu vermuten, dass Fallbeschreibungen aus der Praxis kontinuierlich in den Unterricht einfließen. Obwohl keine empirischen Erkenntnisse darüber vorliegen, in welcher Art und in welchem Umfang die Arbeit mit Fallbeispielen den Unterricht prägen, wird deshalb von Hundenborn (2007, S. 4) vermutet, dass die sukzessive Verbreitung fallorientierter Ansätze im Bereich der pflegeberuflichen Bildung auf eine Lehr- und Lernkultur trifft, die mit Formen der Fallarbeit vertraut ist. Dabei fließen Fallbeschreibungen traditionell aus zwei Richtungen in den Unterricht ein: Zum einen von Seiten der Lehrenden zur Veranschaulichung unterrichtsrelevanter Sachverhalte oder zur möglichst praxisnahen Aufgabengestaltung (didaktischer Fall), zum anderen von Seiten der Lernenden z. B. zur Schilderung und Reflexion bzw. Verarbeitung von Praxissituationen (vgl. Steiner, 1998, S. 1). Beiden Varianten ist gemeinsam, dass mithilfe von Beispielen eine Brücke zwischen theoretischem und praktischem Lernen geschlagen werden soll.

Durch die in den 1990er Jahren einsetzende Akademisierung der Pflegeausbildung stieg das Anforderungsniveau an die theoretisch-didaktischen Begründungen des Unterrichts. Professionelles Lehrerhandeln erfordert vor diesem Hintergrund einen konzeptionellen Rahmen, durch den Planungs-, Durchführungs- und Evaluationsprozesse des fallbezogenen Unterrichts erklärt und legitimiert werden können. Deshalb wird im Folgenden dargestellt, welche Erklärungsansätze fallorientierter Didaktik bereits vorhanden sind und wie sie begründet bzw. pflegedidaktisch konkretisiert werden. Dies geschieht entlang der folgenden Fragestellungen:

- Wo liegen die berufspädagogischen Wurzeln der fallorientierten Didaktik? **Fragestellungen**
- Wie kann Fallarbeit lerntheoretisch erklärt werden?
- Welche Bedeutung hat die fallorientierte Didaktik im Rahmen der Pflegepädagogik?

2.1 Begriffliche Annäherung

Will man das Wesen der Fallarbeit und ihre Bedeutung für die pflege- und gesundheitsberufliche Bildung erklären, muss zunächst der Begriff »Fall« näher definiert werden. Umgangssprachlich ist er in vielen Zusammenhängen insbesondere aber für juristische oder soziale Probleme gebräuchlich.

Kasuistik
Die Übersetzung ins Lateinische weist mit dem Wort »casus« auf die Kasuistik hin, die als Lehrmethode in der juristischen Ausbildung an Hochschulen schon seit dem 19. Jahrhundert verwendet wird (vgl. Steiner, 2004, S. 22). Sie wird mit dem Ziel eingesetzt, die Rechtsfindung also juristische Entscheidungen nicht ausschließlich deduktiv aus allgemeinen Regeln und Prinzipien abzuleiten, sondern induktiv aus spezifischen aber typischen Tatbeständen zu entwickeln. Anfang des 20. Jahrhunderts wurde diese Fallstudienarbeit an amerikanischen Universitäten auch von anderen Wissenschaftsdisziplinen übernommen und zur Gestaltung der Hochschullehre z. B. im Bereich der Wirtschaftswissenschaften eingesetzt. Eine Vorreiterrolle nahm hierbei die Harvard Business School in Boston ein, weshalb einige Varianten der Fallarbeit auch Harvard-Methode genannt werden (vgl. Kaiser/Kaminski, 1999, S. 137). Mittlerweile finden sich konzeptionelle und methodische Überlegungen zum Einsatz von Fallstudien in einer breiten Palette berufspädagogischer und hochschuldidaktischer Verwendungsfelder wie der Rechtslehre, Medizin, Pflege, Psychotherapie und Lehrerbildung. In diesen unterschiedlichen Kontexten

Vielfalt an Bezeichnungen
entstand eine verwirrende Vielfalt an Bezeichnungen für fallbasierte Lehrmethoden wie Fallstudienarbeit, Fallarbeit, fallorientierte Methode etc., die weitgehend synonym verwendet werden. Auf der Basis einer systematischen Analyse verschiedener Verwendungszusammenhänge bietet Steiner (2004) eine Definition an, die die Grundlage der weiteren Überlegungen in diesem Band bildet:

> »*Fallbezogene (oder fallorientierte bzw. kasuistische) Methoden* [H. i. O.] (Vorgehensweisen, Verfahren) bezeichnen hier als Oberbegriff diejenigen Verfahrensweisen, bei denen die Bearbeitung eines (Einzel-)Falles zu Lern-, Ausbildungs-, Untersuchungs- und Forschungszwecken eingesetzt wird. Bei kasuistischen Verfahren bestimmt der konkrete Fall und dessen Bearbeitung durch die Lernenden oder Forschenden die ›Choreographie‹, den Verlauf einer spezifischen Ausbildungssequenz, eines Untersuchungs- oder Forschungsprojekts« (Steiner, 2004, S. 10).

Die sukzessive Verbreitung fallbezogener Methoden in den oben skizzierten Bereichen lässt darauf schließen, dass diesen Verfahren besondere didaktische Bedeutung beigemessen wird. Deshalb wird im Folgenden zunächst erklärt, worin der Nutzen fallorientierter Methoden im Kontext der allgemeinen und der berufspädagogischen Didaktik gesehen wird, bevor deren Relevanz für pflege- und gesundheitsberufliche Lehr-Lern-Prozesse beleuchtet wird.

2.2 Bedeutung fallbezogener Methoden im Rahmen der allgemeinen und der berufspädagogischen Didaktik

Im Kontext der allgemeinen Didaktik entbrannte in den 1950er Jahren eine grundsätzliche Lehrplandebatte, die sich gegen die Anhäufung von »trägem Wissen« richtete. Reformpädagogische Ansätze wurden neu belebt, die einen stärker handlungsorientierten, lebensweltbezogenen Unterricht forderten.

Den didaktischen Reformern (Kosiol, 1957) ging es darum, die Stofffülle zu entzerren und auf ihren exemplarischen Bildungsgehalt hin zu überprüfen. Bildung nach dem exemplarischen Prinzip sollte sich auf einen prägnanten Punkt beziehen, dessen Charakteristikum seine erkenntnisaufschließende Kraft ist. Im Speziellen sollte sich das Allgemeine zeigen bzw. am konkreten Beispiel sollten sich abstrakte Prinzipien ableiten und auf konkrete Handlungssituationen transferieren lassen. Klafki (1957) präzisiert die Bedeutung von Beispielen in Anlehnung an die Kasuistik wie folgt:

Stofffülle entzerren

> »Wo wir vom Exemplarischen sprechen können, da liegt ein Verhältnis von Allgemeinem und Besonderem vor, das am klarsten in der Beziehung von ›Gesetz‹ und ›Fall‹ zum Ausdruck kommt« (vgl. Klafki, 1957, S. 384).

Neben dieser bildungstheoretischen Legitimierung exemplarischer Unterrichtsinhalte wurden in der Orientierung an Fallbeispielen aber auch Potenziale einer lebendigeren bzw. handlungsorientierten Gestaltung der Lernprozesse im Unterricht gesehen:

Handlungsorientierung

> »Die Methode der praktischen Fälle fördert das selbständige Kennenlernen von Sachzusammenhängen in hohem Maße, gibt, unabhängig von der Art der Fragestellungen, ständig Impulse zum Nachforschen. Es gilt aufzuspüren, welche noch fehlenden Kenntnisse erworben werden müssen, wo sich Informationslücken befinden und welche Überlegungen anzustellen sind, um die Problemlösung zu finden. Die Aneignung des Wissens und die methodische Einkreisung erfolgt stets in selbständiger Arbeit. Das Diskussionsverfahren entspricht im Gegensatz zur Lern- und Belehrungsschule mehr der Idee der Arbeitsschule« (Kosiol, 1957, S. 33).

23

Exemplarik

Obwohl die Exemplarik insbesondere im Rahmen der fachdidaktischen Theorie des naturwissenschaftlichen Unterrichts (Physik, Chemie, Biologie) Anklang fand, stieß sie in anderen Fachdisziplinen an strukturelle Umsetzungsgrenzen. Da die Wissensstruktur zur Lösung realer Fälle aus unterschiedlichen Fächern zusammengesetzt ist, erfordern exemplarische, fallbasierte Methoden fächerübergreifenden Unterricht. In einem öffentlichen Schulwesen allerdings, das von der Lehrerausbildung über die Lehrpläne bis hin zur Gestaltung der Schulbücher fächersystematisch organisiert ist, scheiterte eine generelle curriculare Einführung exemplarischen Unterrichts vor allem an der Fächerorientierung des Bildungssystems (vgl. Lisop/Huisinga, 2004, S. 117 ff.).

Berufliche Handlungssituationen als Ausgangspunkt

Was jedoch im Kontext allgemeiner Bildungsprozesse problematisch erschien, zeichnete sich ab der Jahrtausendwende im Rahmen beruflicher Bildung als zukunftsweisender Trend ab. Mit der Einführung des Lernfeldkonzepts als Strukturierungsprinzip der Rahmenlehrpläne für den berufsschulischen Unterricht im dualen System erfuhren die didaktischen Grundsätze der Exemplarik neue Aktualität. Unter dem Leitziel der Entwicklung beruflicher Handlungskompetenz werden hierin berufliche Handlungssituationen zum Ausgangspunkt curricularer Überlegungen gemacht und bilden damit die Kristallisationspunkte, an denen sich Inhalte, Ziele und Methoden des Unterrichts ausrichten müssen. Allerdings ergeben sich unter dem Paradigma der beruflichen Handlungssituationsorientierung andere bzw. neue Probleme bei der Auswahl und Legitimierung der Unterrichtsinhalte. Zur Konstitution von Lernfeldern sind nämlich aus einer diffusen Fülle beruflicher Handlungssituationen für jeden Beruf diejenigen auszuwählen, die aktuell und zukünftig als typisch und deshalb bildungsrelevant erachtet werden können (vgl. Clement, 2003, S. 93 ff.). Zur Identifikation solcher typischer Aufgabenkomplexe,

Qualifikationsforschung

werden Befunde der Qualifikationsforschung benötigt, die jedoch nur lückenhaft zur Verfügung stehen (vgl. Pätzold/Rauner, 2006, S. 7 ff.). Somit kann der Anspruch einer wissenschaftlich legitimierten Lernfeldkonstruktion nur im Rahmen einzelner Berufsausbildungen eingelöst werden. Die pragmatische Lösung dieses Legitimierungsproblems besteht jedoch überwiegend in der Standardisierung der Verfahren zur Entwicklung von lernfeldorientierten Lehrplänen, die unter der Federführung des Bundesinstituts für Berufsbildung (vgl. BIBB, 2011) von Lehrplankommissionen berücksichtigt werden müssen. Auf der Umsetzungsebene der Schulen besteht die Aufgabe darin, derart entwickelte Lernfelder durch eine didaktische Reflexion der beruflichen sowie lebens- und gesellschaftsbedeutsamen Handlungssituation in Lernsituationen zu konkretisieren (vgl. Bader/Müller, 2004, S. 28).

Für die Gestaltung von handlungsorientiertem Unterricht im Rahmen des Lernfeldansatzes werden die folgenden Orientierungspunkte vorgeschlagen:

»Didaktische Bezugspunkte sind Situationen, die für die Berufsausübung bedeutsam sind (Lernen für Handeln). Den Ausgangspunkt des Lernens bilden Handlungen, möglichst selbst ausgeführt oder aber gedanklich nachvollzogen

(Lernen durch Handeln). Handlungen müssen von den Lernenden möglichst selbstständig geplant, durchgeführt, überprüft, gegebenenfalls korrigiert und schließlich bewertet werden. Handlungen sollten ein ganzheitliches Erfassen der beruflichen Wirklichkeit fördern, zum Beispiel technische, sicherheitstechnische, ökonomische, rechtliche, ökologische, soziale Aspekte einbeziehen. Handlungen müssen in die Erfahrungen der Lernenden integriert und in Bezug auf ihre gesellschaftlichen Auswirkungen reflektiert werden. Handlungen sollen auch soziale Prozesse, zum Beispiel der Interessenerklärung oder der Konfliktbewältigung, sowie unterschiedliche Perspektiven der Berufs- und Lebensplanung einbeziehen« (KMK, 2007, S. 12).

Handlungsorientierung wird im Rahmen dieser Schwerpunktsetzung aus zwei Perspektiven hervorgehoben. Zum einen indem die Ausbildungsinhalte auch auf der Ebene des Unterrichts durch das berufliche Handeln zu legitimieren sind und zum anderen indem die Aneignungsprozesse also die Unterrichtsmethoden Merkmale des handelnden Lernens erfüllen sollen. Darüber hinaus wird eine mehrperspektivische und damit interdisziplinäre Aufbereitung der Themen ausdrücklich gefordert. Der Bildungsauftrag beruflicher Qualifikationsprozesse über die berufliche Verwendungssituation hinaus wird in den letzten beiden Aspekten herausgestellt, wenn es um die Reflexion und Bewältigung sozialer Spannungsfelder und Interessenkonflikte geht. Die Arbeit mit Fällen bietet insofern eine konsequente Umsetzung dieses didaktischen Ansatzes in Form von handlungs- und entscheidungsorientiertem Unterricht.

Zwei Seiten der Handlungsorientierung

2.3 Probleme lösen, Entscheidungen treffen

Mit dem Aspekt der Entscheidungsorientierung ist der lernpsychologische Blickwinkel auf die fallorientierte Didaktik angesprochen. Ausgehend von der Rechtsdidaktik in der, wie beschrieben, die Wurzeln der Kasuistik gründen, ist mit fallbezogenen Methoden die Intention verbunden, zukünftig professionell Handelnde zur Problemlösung und Entscheidungsfindung zu befähigen. Rechtsentscheidungen zeichnen sich nämlich typischerweise dadurch aus, dass eine Norm z. B. ein Gesetz auf eine konkrete Situation bezogen werden muss, in der es zu einer Normverletzung gekommen ist. Bezogen auf andere Disziplinen wie z. B. die Pflege, wird hieraus abgeleitet, dass eine Theorie, ein Modell oder ein Konzept auf eine Handlungssituation anzuwenden ist, um Problemlösungen und Entscheidungen herbeizuführen. Die kognitive Herausforderung und damit ein Problem entstehen dadurch, dass sich die Anwendung der Theorie nicht logisch und automatisch aus der Situation ableiten lässt. Das Verhältnis der Norm zum konkreten Fall muss somit durch eine wechselseitige Interpretation beider Phänomene deutend aufeinander bezogen werden, damit eine Lösung bzw. Entscheidung getroffen werden kann. Dieses Oszillieren zwischen abstrakten Wissensbeständen und dem je spezifischen Anwendungszusammenhang wird im Kontext fallbezogener Methoden zum didaktisch gesteuerten Lernprozess, der auf die zentrale Berufsaufgabe vorbereitet (Steiner, 2004, S. 22).

Problemlösungs- und Entscheidungskompetenz

Die Entwicklung von Problemlöse- und Entscheidungskompetenz bildet somit ein zentrales Ziel des Einsatzes von fallorientierten Verfahren in Lehr-Lern-Zusammenhängen. Ein etablierter und methodisch differenzierter Ansatz zur Arbeit mit problemhaltigen Fällen bietet das Konzept des *problem based learning* (= problemorientiertes Lernen = POL).

Die Grundlage des Lernprozesses bildet hierbei die Beschreibung einer realen Berufssituation, die als unbestimmt und schwierig erlebt wird. Von ihr geht ein erster Denkimpuls aus, der zur Formulierung von Fragen genutzt werden kann. Hieran setzt ein strukturierter Untersuchungsprozess an, in dessen Verlauf die unbestimmte Situation in eine bestimmte umgewandelt werden kann (vgl. Dewey, 2002, S. 132).

POL

Das Konzept des POL verläuft systematisch entlang eines schrittweise gesteuerten Erkenntnisprozesses, in dem ähnlich einem Forschungsprozess zunächst der Problemgehalt des dargebotenen Falls gedeutet wird. Darauf aufbauend werden erreichbare Ziel formuliert und passende Interventionen geplant. Hypothetisch wird zudem mit Bezug auf den aktuellen Stand der Wissenschaft erarbeitet, welche Effekte die geplanten Interventionen auf die Lösung des Problems haben könnten. Der gesamte Erarbeitungsprozess wird von der Identifikation und Aneignung erforderlichen Fachwissens begleitet und erfolgt in der Regel in Gruppen. Zum Abschluss muss nicht nur die Qualität der Lösung zur Diskussion gestellt werden, sondern auch die gewählten Lösungsstrategien (vgl. Steiner, 2004, S. 27). Dadurch entstehen zusätzlich Potenziale zur Entwicklung metakognitiver Kompetenz (▶ **Kap. 3.3**).

Der Problemgehalt einer Situation ist jedoch nicht objektiv in einer Fallbeschreibung enthalten, sondern unter anderem von der Wahrnehmung durch den Rezipienten, also von der Kompetenz des Lernenden abhängig. Eine Situation, die einem Novizen undeutlich erscheint, kann von einem geübten Neuling bereits in einigen Aspekten besser eingeschätzt werden und somit als weniger problematisch erachtet werden (vgl. Benner et al., 2000, S. 69 ff.).

Fallorientierte Methoden können jedoch auch zur Bearbeitung von Aufgaben eingesetzt werden, die keine Probleme enthalten. Dies wird durch die folgende Unterscheidung Sandkühlers (1990) zwischen einem Problem und einer Aufgabe deutlich:

Problem vs. Aufgabe

»Ein Problem liegt dann vor, wenn für ein System von Aussagen und Fragen über bzw. nach Bedingungen der Zielerreichung kein Algorithmus bekannt ist, durch den der festgestellte Wissensmangel in einer endlichen Zahl von Schritten beseitigt werden kann. Ist ein Algorithmus bekannt, liegt eine Aufgabe vor«(Sandkühlers, 1990, S. 878).

So kann mit fallbezogenen Aufgaben auch die Intention verbunden sein, bereits bekannte Entscheidungsmuster und Handlungsstrategien zu verfestigen und einzuüben, um eine gesteigerte Handlungssicherheit zu entwickeln.

26

Hieraus lässt sich ein weiteres Potenzial fallorientierter Methoden ableiten, das in der Simulation von Realsituationen besteht. Simulative Verfahren sind insbesondere in solchen Berufsbildungsprozessen bedeutsam, in deren praktischen Ausbildungsphasen kaum Fehlertoleranz eingeräumt werden kann. Insbesondere im Gesundheits- und Pflegebereich aber auch in anderen hochriskanten Arbeitsbereichen (z. B. Polizei, Feuerwehr, Flugsicherheit) sind Ausbildungen dadurch gekennzeichnet, dass theoretisch Gelerntes kaum am realen Patienten oder Klienten geübt werden kann. Bereits während der Praktika muss ein Beherrschungsgrad erreicht sein, der verantwortliches Handeln ohne Gefährdung anderer garantiert. Vor diesem Hintergrund kommt simulativen Methoden wie Übungen an Phantomen, im Rollenspiel sowie Übungen in Simulatoren oder anhand von Fallbeispielen besondere Bedeutung zu. Solche Verfahren bieten zum einen die Möglichkeit, in einem Schutzraum zu handeln ohne eventuell schädigende Konsequenzen für die Beteiligten. Zum anderen kann aus Sicht der traditionellen Transfertheorie davon ausgegangen werden, dass durch möglichst echte Simulation ein positiver Transfer des Gelernten in die reale Handlungspraxis erleichtert wird (Ried, 2001, S. 72).

Simulation von Realsituationen

2.4 Bedeutung der fallorientierten Didaktik im Rahmen der Pflegepädagogik

Wie weiter oben gezeigt wurde, bildet die situationsorientierte und damit fächerübergreifende Struktur curricularer Vorgaben eine günstige Bedingung für die Anwendung fallorientierter Methoden. Vor diesem Hintergrund ist interessant, dass die Auflösung fächerorientierter Curricula und die Entwicklung alternativer, fächerintegrativer Lehrpläne die fachdidaktische Debatte in der Pflegebildung schon seit den 1980er Jahren prägen. Wichtige Impulse gingen dabei von pflegewissenschaftlichen Veröffentlichungen aus Großbritannien und den USA aus. Sie bewirkten auch in Deutschland eine grundlegende Neuorientierung und Umstrukturierung ausbildungsrelevanter Inhalte und Ziele, in deren Zentrum die individuelle geplante Pflege in Form eines Problemlösungsprozesses stand. Damit sollte die bis dahin übliche Fächerstruktur, die sich an einer medizinisch geprägten Fachsystematik orientierte, abgelöst werden. Im Zuge dieser Neuerungen veränderte sich jedoch nicht nur die inhaltsstrukturelle, sondern vor allem die handlungsstrukturelle Perspektive auf die pflegeberufliche Bildung. Durch die Einführung prozesshaft geplanter Pflege im Rahmen der praktischen Prüfung im Jahr 1985 wurde die Struktur des Problemlösungsprozesses als Handlungsstruktur professioneller Pflege vorgegeben. Implizit wurde damit zum Ausdruck gebracht, dass die Entwicklung von Problemlösungskompetenz als bedeutsamer Aspekt

27

pflegerischer Qualifizierung anzusehen ist (Bögemann-Großheim, 2002, S. 246 ff.).

Curriculare Zentralstellung der Pflege

Mit der curricularen Zentralstellung der Pflege als Handlungssituation war jedoch nun die Anforderung verbunden, originär pflegerische Berufsaufgaben zu identifizieren, die zur Legitimierung der Ausbildungsinhalte herangezogen werden können. Der Rückgriff auf die damals aktuellen Pflegetheorien bildete zwar einen konsistenten theoretischen jedoch relativ abstrakten und wenig handlungssituationsbezogenen Erklärungsrahmen für die professionelle Pflege. Passungsprobleme ergaben sich darüber hinaus aus den jeweils gesundheitssystematischen und kulturellen Unterschieden, die das angelsächsische und das deutsche Professionsverständnis noch heute prägen. Deshalb konstatieren Fichtmüller und Walter (2007, S. 161 ff.), dass Pflegetheorien, -modelle und Klassifikationssysteme nur bedingt zur Identifikation berufstypischer Handlungssituationen geeignet sind. Vielmehr seien hierzu ergänzende Erkenntnisse und Befunde spezifischer Qualifikationsforschung nötig, wie sie von Becker und Meifort (1995) seit den 1990er Jahren zur Begründung von Qualifikationsprozessen im Pflege- und Gesundheitsbereich gefordert werden.

Lernfelder

Obwohl die lernfeldorientierten Vorgaben der Kultusministerkonferenz (KMK) eigentlich nur für Ausbildungsprozesse im Rahmen des dualen Systems gelten und somit formal nur teilweise Relevanz für die Lehrplangestaltung pflegeberuflicher Ausbildungen haben, entstand hierüber ein breiter pflegepädagogischer Diskurs (z. B. Darmann/Wittneben, 2002; Bischoff-Wanner, 2003; Ertl-Schmuck, 2003; Falk/Kerres, 2006). In Folge dessen wurde das Lernfeldkonzept im Jahr 2003 in die Ausbildungs- und Prüfungsvorgaben für die Altenpflegeausbildung übernommen. Die aktuelle Ausbildungs- und Prüfungsordnung für die Gesundheits- und Krankenpflege aus dem Jahr 2004 folgt diesem Konzept jedoch

Themenbereiche

nicht, sondern führt mit dem Strukturierungsmerkmal »Themenbereich« eine theoretisch unklare begriffliche Neuschöpfung ein. Die Forderung nach empirisch fundierten Lernfeldern, deren Inhalte auf Erkenntnissen der Qualifikationsforschung basieren, wird einzig und erstmals im Curriculum »Ausbildung in den Pflegeberufen« (Becker, 2006) umgesetzt, das im Rahmen eines Modellprojekts zur integrativen Alten- und Krankenpflegeausbildung entstanden ist. Es kam jedoch bisher nur in zwei Bundesländern zum Einsatz. Bundesweit werden unterschiedliche Lehrpläne eingesetzt, so dass von einer äußerst heterogenen inhaltlichen Ausgestaltung pflegerischer Ausbildung ausgegangen werden muss. Keuchel problematisiert die verschiedenen negativen Auswirkungen dieser Situation auf den Professionalisierungsprozess im Pflegbereich:

> »Allerdings besteht derzeit kein fachlicher, politischer, pädagogischer oder gar empirisch abgesicherter Konsens darüber, was heute und zukünftig als Kernbereiche pflegerischen Wissens zu vermitteln ist und worin die konkrete pflegerische Handlungsqualität ihren Ausdruck findet« (Keuchel, 2005, S. 229).

Wenn also ein originär pflegeberuflicher Aufgabenbereich nur schwer curricular zu konturieren ist, kommt der Betrachtung von Strukturmerkmalen pflegeberuflichen Handelns zur Erklärung von Befähigungsanforderungen besondere Bedeutung zu. Fichtmüller und Walter (2007) kommen auf der Grundlage ihrer Forschung zu dem Ergebnis, dass unter einer strukturtheoretischen Betrachtungsweise durchaus konsensfähige Erklärungslinien zu identifizieren sind. So wird mit Remmers (2000) die doppelte Handlungslogik der Pflege als unstritting wie folgt umrissen:

Doppelte Handlungslogik der Pflege

> »Die professionelle Handlungslogik pflegerischer Arbeit zeichnet sich demnach durch eine Doppelseitigkeit aus, die zugleich die Anerkennung zweier gleichrangig nebeneinander bestehender normativer Ansprüche verlangt: auf der einen Seite die ›Beherrschung eines wissenschaftlich fundierten Regelwissens mit der dazugehörigen Befähigung zum Umgang mit Theorien‹, auf der anderen Seite eine ›hermeneutische Kompetenz des Verstehens des Einzelfalls in der Sprache des Falls‹« (Remmers, 2000, S. 170).

Prägend für diese Arbeit sei die Gestaltung spezifischer Interaktionsprozesse, die aus subjekttheoretischer Sicht aus einem kontinuierlichen Kommunikations- und Deutungsprozess bestehen. Diese erfordern von den Pflegenden fallverstehende, kommunikative und reflexive Fähigkeiten. Durch die besondere Bezogenheit auf den menschlichen Körper sei Pflegehandeln als leibliches Handeln eine spezielle Form des sozialen Handelns, das leibliche Sensibilisierung erfordere. Da die soziale Interaktion im Wesentlichen als Beziehungsarbeit an den Grundbedürfnissen Hilfe suchender Menschen ansetze, sei sie von Diffusität gekennzeichnet (vgl. Fichtmüller/Walter, 2007, 165 f.).

> »Diffusität zeigt sich darin, dass sich Beziehungsarbeit in einem breiten Spektrum alltäglicher, quasi naturwüchsig ineinander verschränkter, von der zeitlichen Struktur her synchroner Tätigkeiten beispielsweise der Organisation von Versorgung, der leiblichen Zuwendung und der affektiven Abstimmung bewegt« (Remmers et al., 2004, S. 29).

Darüber hinaus ist Pflege durch den flüchtigen Charakter aller Dienstleistungen gekennzeichnet, deren Handlungsprodukte schwerer empirisch erfasst und evaluiert werden können, da sie im Moment der Erbringung auch konsumiert werden (Uno-actu-Prinzip). Zusammenfassend können an dieser Stelle die folgenden handlungsstrukturellen Merkmale der Pflege festgehalten werden:

Handlungsstrukturelle Merkmale der Pflege

Zusammenfassend können an dieser Stelle die folgenden handlungsstrukturellen Merkmale der Pflege festgehalten werden:

- doppelte Handlungslogik aus theoretischem Regelwissen und hermeneutischem Fallverstehen
- problemlösendes Handeln
- Beziehungsarbeit, die an den Grundbedürfnissen hilfesuchender Menschen ansetzt
- leibliches Handeln

- von Diffusität des Anforderungsspektrums geprägtes Handeln
- Handeln unterliegt dem Uno-aktu-Prinzip personenbezogener Dienstleistung

Pflegesituation

Diese Sicht auf die Strukturmerkmale bietet zwar einen Erklärungsrahmen für das Wesen des Pflegehandelns, das Aufgabenspektrum professionell Pflegender reicht jedoch über die direkte Pflegetätigkeit hinaus. Um auch kontextbezogene berufliche Anforderungsbereiche in die Gestaltung von Ausbildungsprozessen einbeziehen zu können, modelliert Hundenborn (2007) das Konzept der Pflegesituation, indem Pflege um vier handlungsrelevante Kontextfaktoren erweitert wird.

> »Dabei wird das Handeln nicht nur durch die Einstellungen, Beweggründe und Interessen der beteiligten Personen bestimmt, sondern auch durch die Situation selbst sowie durch ihre kontextuelle Einbettung, etwa in die Bedingungen des Arbeitsplatzes oder der Institution« (Hundenborn, 2007, S. 43).

Sie unterscheidet zum einen »Pflegeanlässe« und damit die Situationseinschätzung bzw. metakognitives Wissen über Erfordernisse und Zuständigkeiten, die berufliches Handeln notwendig machen. Mit dem Aspekt »Erleben und Verarbeiten« richtet sie zum anderen einen Fokus auf den psychischen Verarbeitungsprozess Pflegender und damit auf ihre subjektiven Deutungen, ihre Erlebensweisen und Zuschreibungen sowie deren Strategien und Kompetenzen der Krisenbewältigung. Mit der Einflussgröße der »Interaktionsstruktur« wird der Blick über die Beziehung zwischen Pflegenden und Zupflegenden hinaus auf weitere Interaktionspartner gerichtet wie z. B. auf pflegende Kollegen oder Angehörigen anderer Berufsgruppen. Diese weisen auf den vierten Einflussfaktor den »institutionellen Kontext« hin, der Zielsetzungen, Prioritäten, Aufgabenschwerpunkte und Rahmenbedingungen von Institutionen des Gesundheitswesens betrifft. Diese können sich fördernd und hemmend auf Handlungsalternativen auswirken (vgl. Hundenborn, 2007, S. 45 ff.).

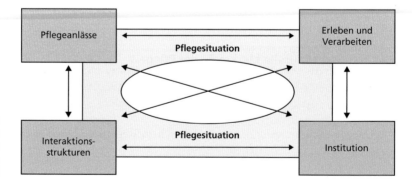

Abb. 2.1:
Konstitutive Merkmale einer Pflegesituation (Hundenborn, 2007, S. 45)

Über die hierdurch identifizierbaren Pflegesituationen hinaus beschreibt die Autorin weitere berufsrelevante Situationen, in denen Pflegende handeln müssen, wie z. B. bei der Repräsentation von berufsgruppenspezifischen Interessen durch berufspolitisches Engagement.

Nach diesem Überblick über die Grundlegungen professionellen Pflegehandelns, wird im Folgenden erklärt, inwiefern sich hieraus die Relevanz und Bedeutsamkeit fallorientierter Methoden in pflegeberuflichen Bildungsprozessen begründen lässt.

Relevanz fallorientierter Methoden

So leitet Darmann-Finck (2010) aus den Strukturmerkmalen professioneller Pflege intentionale Besonderheiten für die Ausbildung ab. Sie identifiziert drei Zieldimensionen nämlich die Befähigung zu regelgeleitetem Handeln, die reflexive Könnerschaft und das verantwortliche Handeln. Unter regelgeleitetem Handeln wird in diesem Kontext verstanden, dass Dienstleistungsgeber in der Lage sein müssen, Probleme und gesundheitsbezogene Krisen der Dienstleistungsempfänger unter Einbezug wissenschaftlicher Erkenntnisse zu analysieren, sowie mithilfe eines systematischen Problemlösungsprozesses Unterstützungsangebote zu planen, durchzuführen und zu evaluieren. Dem schulischen Teil der Ausbildung kommt die Aufgabe zu, handlungsleitende Kognitionen und damit gedankliches Probehandeln zu ermöglichen sowie metakognitives Wissen zu entwickeln.

Reflexive Könnerschaft leitet sich nach Darmann-Finck aus der Einzigartigkeit und Individualität jedes Dienstleistungsempfängers ab, weshalb Problemlösungsprozesse jeweils dialogisch ausgehandelt werden müssen. Pflegende müssten im Rahmen ihrer Dienstleistung deshalb ein elementares Verstehen entwickeln, das eher implizit auf intuitiven Deutungen basiert. Da diese Prozesse schwer operationalisierbar und anfällig für Fehldeutungen sind, muss die Fähigkeit zum hermeneutischen Fallverstehen mit der Fähigkeit zur Reflexion und zur Korrektur der jeweiligen Situationsdeutung verbunden sein.

Fähigkeit zum hermeneutischen Fallverstehen

Am Lernort Schule kann die erforderliche reflexive Kompetenz systematisch gefördert werden, indem Handlungsprozesse zurückblickend analysiert, handlungsleitendes Wissen identifiziert bzw. ergänzt und Deutungen modifiziert werden.

Mit der Befähigung zu verantwortlichem Handeln ist die Intention verbunden, sich der Zuständigkeit für das eigene Tun und Lassen, das im Kontext personenbezogener Dienstleistungen von inneren und äußeren Widersprüchen geprägt ist, bewusst zu sein:

>»Neben institutionellen Widersprüchen sind bei der Erbringung personenbezogener Dienstleistungen auch innere Widersprüche der Protagonisten wirksam, wie beispielsweise der Widerspruch zwischen dem Anspruch auf Einfühlung in die Situation von Dienstleistungsempfängern und Gefühlen wie Ekel oder der Aggression« (Darmann-Finck, 2010, S. 352).

Am Lernort Schule können Reflexionsprozesse zur Aufdeckung paradoxer Anforderungssituationen angeregt und zur Emanzipation von unnötigen Abhängigkeiten ermutigt werden.

Fallorientierten Methoden kommt vor diesem Hintergrund in Bezug auf alle drei Zielrichtungen eine bedeutsame Rolle zu. Sie können wie in Tabelle 2.1 systematisch zugeordnet werden.

Zieldimensionen fallorientierter Methoden

Zieldimensionen	Geeignete Methoden fallbezogenen Lernens am Lernort Schule
Regelgeleitetes Handeln	z. B. Fallstudien (Kaiser, 1983, 1985), Problemorientiertes Lernen (Scharz-Govaers, 2003)
Reflexive Könnerschaft	z. B. Situiertes Lernen (Holoch, 2002), Szenisches Spiel (Oelke/Scheller/Ruwe 2000), Biografieorientiertes Lernen, Fallbesprechung (Gudjohns, 1977), Rollenspiel (van Ments, 1998)
Verantwortliches Handeln	z. B. Dilemmadiskussion (Lind, 2000), Fallrekonstruktives Lernen (Darmann-Finck/Böhnke/Straß, 2009), Ethische Fallreflexion (Rabe, 2005)

Entlang dieser Systematik fallorientierter Lehr-Lern-Methoden werden in Kapitel 4 Beispiele fallorientierter Unterrichtsgestaltung vorgestellt und Anregungen zur individuellen Umsetzung in unterschiedlichen Lehr-Lern-Settings angeboten.

Wenn bisher im Wesentlichen von pflegeberuflichen und pflegepädagogischen Grundlegungen der Fallarbeit die Rede ist, so ist dieses Verfahren für andere gesundheitsberufliche Ausbildungsprozesse wahrscheinlich ebenso bedeutsam. Die hier gewählte Schwerpunktsetzung auf den Pflegebereich ist lediglich dem Umstand geschuldet, dass die bereichsdidaktischen Überlegungen anderer Gesundheitsberufe weniger systematisch bearbeitet sind. Interessant ist vor diesem Hintergrund, ob die strukturtheoretische Analyse des spezifischen Berufs auch hier Begründungslinien für den Einsatz fallorientierter Methoden erkennen lässt.

3 Methodische Ansätze zur Gestaltung von fallbasiertem Unterricht

Im folgenden Kapitel wird gezeigt, wie fallorientierter Unterricht methodisch abwechslungsreich gestaltet werden kann. Dabei werden unterschiedliche didaktische Perspektiven eingenommen, die eine Bandbreite an Potenzialen und Einsatzmöglichkeiten abbilden. Der theoretische Bogen spannt sich in jedem Kapitel jeweils von den erziehungswissenschaftlichen Grundlegungen eines methodischen Ansatzes bis zu konkreten Überlegungen zur Unterrichtsplanung, -durchführung und -evaluation.

Einleitend werden Fallbeispiele wie die der Bandreihe »Pflege fallorientiert lernen und lehren« als Gegenstand didaktischer Entscheidungen analysiert. Deshalb wird zunächst der Frage nachgegangen, wie Falldarstellungen hinsichtlich ihres Schwierigkeitsgrades eingeschätzt werden können, um deren Einsatz im Unterricht am Kompetenzniveau der Lernenden orientieren zu können. Auf der Basis der in Kapitel 2 vorgestellten pflegedidaktischen Einordnung fallbasierter Methoden werden im Weiteren Anregungen zur konkreten Umsetzung fallbezogenen Unterrichts angeboten. Den Auftakt bildet das in der Pflegebildung noch wenig gebräuchliche Lernen mit Musterlösungen bzw. Lösungsbeispielen, das insbesondere ein Verstehen von Routinen und Standards ermöglicht. Unter der Zieldimension der Entwicklung von Entscheidungs- und Problemlösekompetenz werden anschließend das Problemorientierte Lernen (POL) und die klassische Fallstudie nach Kaiser (1983) vorgestellt. Weitere thematische Schwerpunkte bilden Formen szenischer Fallbearbeitung mit der Intention an und mit den Haltungen der Lernenden zu arbeiten sowie die Dilemmadiskussion zur Befähigung zum reflektierten moralischen Handeln. Die Betrachtung hochschuldidaktischer Implikationen rundet die Reihe der methodischen Ansätze ab.

Jeder methodische Ansatz wird exemplarisch anhand einer konkreten Falldarstellung betrachtet, so dass dessen spezifische didaktische Potenziale anschaulich aufgezeigt werden. Ein Transfer dieser Ideen in reale Unterrichtssituation erfordert letztlich Modifikationen zur Anpassung an die jeweils bestehenden institutionellen Rahmenbedingungen sowie an die je spezifischen Lern- und Lehrvoraussetzungen. Die dargestellten methodischen Verfahren sind somit nicht als Anweisungen oder Rezepte für konkretes Lehrhandeln zu verstehen, sondern als anschauliche Inspiration für kreative Planungsüberlegungen.

3.1 Auswahl eines geeigneten Falls

Bei jeder Form der Fallarbeit muss im Rahmen der Unterrichtsplanung zunächst entschieden werden, welcher *Schwierigkeitsgrad* bezogen auf die Lernvoraussetzungen der Lernenden angemessen ist, da sich Über- oder Unterforderungssituationen lernhinderlich auswirken können. Insofern bildet die Analyse der Lernvoraussetzungen eine wichtige Basis zur Auswahl geeigneter Fälle. Hierzu bietet beispielsweise Becker (1994, S. 15 ff.) einen Rahmen an, der sich in folgende Kriterien gliedert:

Analyse von
Lernvoraussetzungen

Analysekriterien bilden die folgenden Lernvoraussetzungen:

- sachstrukturelle
- familiale
- individuelle
- kulturelle
- motivationale
- soziale
- gruppale
- sprachliche
- kognitive
- emotionale
- psychomotorische
- arbeitstechnische

Auch lassen sich Anhaltspunkte für die geeignete Fallauswahl aus dem Kompetenzstufen-Model von Benner (2000) ableiten. Hierzu müssen Merkmale eines Falls hinsichtlich ihrer fachlich-inhaltlichen Schwerpunkte und des Komplexitätsgrads mit den Lernvoraussetzungen und der didaktischen Zielsetzung des Unterrichts in Zusammenhang gebracht werden. Während die inhaltlich-fachliche Ausrichtung einer Fallbeschreibung leichter zu identifizieren ist, bereitet die Einschätzung des Komplexitätsgrades eher Probleme. In der Literatur zur Fallstudiendidaktik wird die Einschätzung des Schwierigkeitsgrades entlang von drei Dimensionen beschrieben:

Schwierigkeitsgrad

⇨ Zur Einschätzung des Schwierigkeitsgrads einer Fallbeschreibung müssen drei Dimensionen berücksichtigt werden:

- Die analytische Dimension
- Die theoretisch konzeptionelle Dimension
- Die darstellende Dimension

3.1.1   Die analytische Dimension

Auf der Grundlage der Struktur des Problemlösungsprozesses wird eingeschätzt, wie groß der Anteil der unklaren bzw. noch zu bearbeitenden Schritte ist (▶ Abb. 3.1).

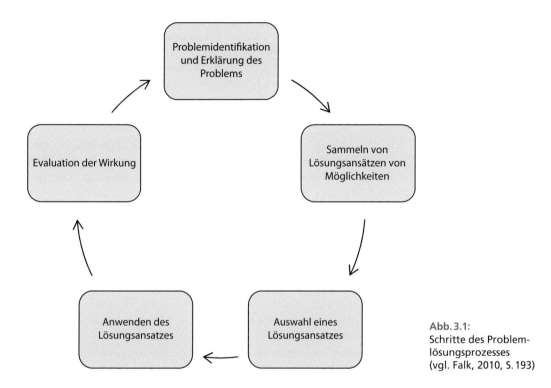

Abb. 3.1:
Schritte des Problemlösungsprozesses
(vgl. Falk, 2010, S. 193)

Je mehr Aspekte des Lösungswegs in der Fallbeschreibung schon als geklärt vorgegeben sind, desto einfach ist der Fall. Entsprechend steigt der Komplexitätsgrad mit dem Anteil der offenen, unklaren Aspekte.

Je nach der didaktischen Intention kann auch die vollständige Lösung eines Problems fallartig beschrieben sein. Die Aufgabe der Lernenden besteht dann darin, die Falllösung kritisch zu bewerten.

3.1.2   Die theoretisch-konzeptionelle Dimension

Der Schwierigkeitsgrad einer Falldarstellung lässt sich auch danach einschätzen, wie viele verschiedene theoretische Ansätze oder Modelle zur Fallbearbeitung herangezogen werden müssen.

Je mehr theoretische Zugänge zum Verständnis und zur Lösung des Falls nötig sind, desto komplexer ist diese Aufgabe. Auch der Grad der

Verschiedenheit (z. B. Mischung aus naturwissenschaftlichen und geisteswissenschaftlichen Perspektiven) wirkt sich auf das Anspruchsniveau aus. So zeichnen sich pflegerelevante Fallsituationen nicht selten dadurch aus, dass sowohl Pflegetheorien als auch Beratungskonzepte und die Erklärung pathophysiologischer Prozesse relevant sind. An dieser Stelle soll nicht darauf eingegangen werden, welche Bezugswissenschaften mit welcher Gewichtung die Grundlegung des pflegeberuflichen Handlungswissens bilden. Es wird allerdings grundlegend davon ausgegangen, dass zur Entwicklung pflegeberuflicher Handlungskompetenz multidisziplinäre Wissensbestände erforderlich sind. Im Rahmen der Gestaltung von Unterricht ist es die Aufgabe der Lehrenden, den theoretisch-konzeptionellen Schwierigkeitsgrad von Lerngegenständen und -aufgaben bewusst zu steuern, um über- oder unterfordernde Lernsituationen, wie sie im Kontext der praktischen Arbeit auftreten, zu minimieren.

Die Ausbildungs- und Prüfungsordnung für die Gesundheits- und Krankenpflege sowie die Gesundheits- und Kinderkrankenpflege gliedert die theoretisch-konzeptionelle Inhaltsstruktur der Ausbildung in die folgenden Kategorien (Storsberg et al., 2006, S. 42 f.):

- Kenntnisse der Gesundheits- und Krankenpflege bzw. der Gesundheits- und Pflegewissenschaft
- Pflegerelevante Kenntnisse der Naturwissenschaften und der Medizin
- Pflegerelevante Kenntnisse der Geistes- und Sozialwissenschaften
- Pflegerelevante Kenntnisse aus Recht, Politik und Wirtschaft

Diese relativ holzschnittartige Strukturierung bietet zwar nur vage Orientierung, sie ist jedoch durch ihre formale Legitimierung konsensfähig und kann zumindest als pragmatische Basis für die theoretisch-konzeptionelle Planung von Unterricht herangezogen werden. Die Musterlösungen in der Bandreihe »Pflege fallorientiert lernen und lehren« können jedoch auch anhand anderer Kategorien geordnet sein.

3.1.3 Die darstellende Dimension

Der Schwierigkeitsgrad kann auch durch die sprachliche Gestaltung des Falls beeinflusst sein. Wird ein Fall z. B. sehr unstrukturiert beschrieben und enthält viele irrelevante Informationen, so ist sein Schwierigkeitsgrad höher einzuschätzen, als bei einer Falldarstellung, in der Informationen präzise und logisch strukturiert angeboten werden. Eine unstrukturierte Falldarstellung wirkt allerdings besonders authentisch und wirklichkeitsnah, da sie der Art und Weise gleicht, in der emotional betroffene Patienten, Bewohner oder Klienten ihr Fallerleben ausdrücken. In einer eher chaotischen Erzählweise kann somit die emotionale Betroffenheit der Akteure besonders stark zum Ausdruck kommen.

Zur Erleichterung der Fallauswahl, werden die Fallbeispiele in der Reihe »Pflege fallorientiert lernen und lehren« in jedem Band nach drei Komplexitätsstufen geordnet angeboten:

- *Ein Routinefall*: Er ermöglicht Einblicke in typische Handlungssituationen und Lernprozesse bezüglich der Anwendung von Standards, der Vollständigkeit der Aufgabenbewältigung sowie die Erschließung relevanten Fachwissens. Zielgruppe sind Anfänger in der beschriebenen Fallsituation.

- *Ein Fall mit Schwierigkeiten*: Im Rahmen eines Routinefalls treten zusätzlich ein bis zwei unvorhergesehene Probleme auf, deren Lösung beispielhaft beschrieben und zusätzliches Fachwissen erschlossen wird. Zielgruppe sind fortgeschrittene Anfänger in der beschriebenen Fallsituation.

- *Ein komplizierter Fall*: Das Fallgeschehen bietet nur wenige Möglichkeiten zur Anwendung von Standards. Das Spektrum der Handlungsprobleme ist vielfältig, so dass verschiedene Lösungsvarianten abgeglichen werden müssen, um Entscheidungen zu treffen. Es bestehen verschiedene Lösungsvarianten. Zielgruppen können sowohl fortgeschrittene Anfänger als auch kompetent Handelnde in der beschriebenen Fallsituation sein.

Schwieriger wird ein Fall zum Beispiel, wenn mehrere chronische Erkrankungen bestehen oder wenn zu einem akuten Gesundheitsproblem bestehende Behinderungen des Patienten hinzukommen bzw. wenn Komplikationen auftreten. Darüber hinaus können psychosoziale, juristische oder finanzielle Probleme die pflegerische Aufgabenstellung schwieriger gestalten.

Letztlich liegt die Komplexität eines Falls in der individuellen Wahrnehmung jedes Lernenden. Von dessen sprachlichen und fachlichen Kompetenzen sowie von der subjektiven Fallrezeption hängt ab, wie schwierig oder wie leicht eine Fallbeschreibung wahrgenommen wird. Insofern zeigt sich die Eignung einer ausgewählten Falldarstellung erst im konkreten Lehr-Lern-Prozess bzw. in dessen Evaluation.

3.2 Lernen mit Lösungsbeispielen (ein Routinefall)

Wie in Kapitel 2.5 dieses Bandes beschrieben, kommt der Bearbeitung von beispielhaften Falllösungen besondere didaktische Bedeutung zu, wenn es um den Einstieg in ein neues Themengebiet oder das Verstehen von Routinen und Standards geht. Im Folgenden wird deshalb beispielshaft anhand eines konkreten, fiktiven Fallbeispiels gezeigt, welche Möglichkeiten der Unterrichtsgestaltung zum Thema »allgemeine perioperative Pflege« mithilfe einer Falllösung bestehen.

Ein typischer Fall in der Chirurgie: Bennos Bauch

Wenn Benno D. genau darüber nachdenkt, stimmte schon seit einigen Tagen etwas mit seinem Bauch nicht. Immer wieder traten ziehende Schmerzen auf. Da er noch nie ernsthaft krank gewesen ist, denkt er sich nichts dabei und geht wie jeden Morgen zu seiner Lehrstelle bei Auto Köhler. Er ist 19 Jahre alt und im zweiten Lehrjahr seiner Mechatroniker-Lehre. Als er einige schwere Ersatzteile aus dem Lager holt, bekommt er plötzlich derart starke Bauchschmerzen, dass er sich setzen muss. Er hält es nur in gekrümmter Haltung aus und er muss stöhnen, ob er will oder nicht. Erst will sein Ausbilder Herr K. ihm gut zureden und macht einen Scherz: »Na, war wohl zu schwer für dich! Möchtest lieber »ne sitzende Bürotätigkeit!« Als er aber Bennos blasses Gesicht und die Schweißperlen auf der Stirn sieht, ruft er einen Krankenwagen. Von der Fahrt ins Krankenhaus bekommt Benno nicht viel mit. So schlecht ist es ihm noch nie gegangen und er hat wirklich Angst, weil er keine Ahnung hat, was mit ihm los ist und was als nächstes auf ihn zu kommt.

Im Krankenhaus geht dann alles sehr schnell! Ein Arzt untersucht ihn noch in der Notfallambulanz und teilt ihm mit, dass der Wurmfortsatz seines Blinddarms stark entzündet ist. Auf jeden Fall muss er noch heute operiert werden. Es ist 10:00 Uhr und um 16:00 Uhr ist er »dran«, denn dann ist er »nüchtern«, sagt der Arzt. Vorher sollen noch einige Untersuchung gemacht werden.

Benno will eigentlich in Ruhe gelassen werden, aber man schiebt ihn zum Röntgen und dann in ein Krankenzimmer. Man nimmt ihm Blut ab und legt eine Infusion an. Er unterschreibt eine OP-Einwilligung, obwohl er eigentlich wirklich nicht »unters Messer« möchte. Zwischendurch ruft er seine Mutter bei ihrer Arbeitsstelle an und erzählt ihr, was passiert ist. Sie ist sehr erschrocken und will so schnell wie möglich mit seinen Schlaf- und Toilettensachen ins Krankenhaus kommen.

Am Nachmittag werden ihm ein OP-Hemd und weiße Strümpfe angezogen. Die Nabelreinigung und die Rasur wären eigentlich eine lustige Story für die Berufsschule, aber ihm geht es einfach zu elend. Eine Anästhesistin spricht mit ihm über die Narkose. Am liebsten hätte er nur eine lokale Betäubung, aber sie erklärt ihm, dass dies nicht möglich sei, deshalb willigt er in eine Vollnarkose ein. Benno denkt sich nur: »Gute Nacht, du schöne Welt!«

In Ihrer Spätschicht sind Sie für die Pflege von Benno zuständig und holen ihn gegen 17:30 Uhr aus der Anästhesieabteilung ab. Er ist wach und ansprechbar. »War's das jetzt?«, fragt er sie.

3.2.1 Exemplarische Aufschlüsselung der Wissensgrundlagen

Die inhaltlichen Schwerpunkte, die in diesem Beispielfall gesetzt werden, eignen sich für die Einführung in die Thematik des pflegeberuflichen Handelns in chirurgischen Abteilungen der Akutversorgung. Sie sind somit für die gesundheits- und krankenpflegerische sowie für die gesundheits- und kinderkrankenpflegerische Ausbildung relevant. Bezogen auf die Vorgaben der Ausbildungs- und Prüfungsverordnung können sie dem Themenbereich 1, 2 und 8 zugeordnet werden (siehe Anlage 1 der Ausbildungs- und Prüfungsverordnung für die Berufe der Krankenpflege).

Im Folgenden wird die Falllösung synoptisch entlang der Gliederung der Wissensrundlagen dargestellt.

Kenntnisse der Gesundheits- und Krankenpflege bzw. der Gesundheits- und Pflegewissenschaft:

- Prä- und postoperative Pflegestandards bei Appendektomie (laparoskopisch und offen)
- Unterstützung bei klassischen Pflegeproblemen chirurgisch erkrankter Patienten, Erkennen der fallspezifischen Relevanz und begründete Auswahl von Maßnahmen bei:
  - Angst
  - Schmerz
  - Wunden
  - Bewegungseinschränkungen
- Probleme bei der Nahrungsaufnahme und Ausscheidung
- Applikation von Medikamenten
- Evtl. fallspezifische zusätzliche Probleme
- Früherkennung von Komplikationen durch den Eingriff, spezielle Krankenbeobachtung
- Früherkennung von Komplikationen durch die Narkose, spezielle Krankenbeobachtung
- Prävention von Folgeschäden, Prophylaxen
- Frührehabilitation, Mobilisation und Kostaufbau

Pflegerelevante Kenntnisse der Naturwissenschaften und der Medizin:

- Bau und Funktion des Blinddarms und seines Wurmfortsatzes
- Akuter Bauch
- Appendizitis, Entstehung, Verlaufsformen, Symptomatik, diff. Diagnose, Komplikation der Perforation, Peritonitis
- Operationsverfahren (laparoskopisch und offen)
- Narkoseverfahren, Analgesie
- Primäre Wundheilung
- Komplikationen bei Darmoperationen

Pflegerelevante Kenntnisse der Geistes- und Sozialwissenschaften:

- Ängste, Angst vor Eingriffen
- Klientenzentrierter Umgang mit Ängsten

Pflegerelevante Kenntnisse aus Recht, Politik und Wirtschaft:

- Strafrechtliche und haftungsrechtliche Aspekte bei Operationen
- Patienteneinwilligung

3.2.2   Musterlösungen im fallbasierten Unterricht

Bei der obenstehenden Darstellung handelt es sich um einen leichten Fall, der die Anwendung vorhandener Regeln, Prinzipien und Standards erfordert. Die Situation wird aus einer übergeordneten Erzählperspektive beschrieben, die eher das Fallerleben des Patienten als des Pflegepersonals zum Ausdruck bringt. Dadurch wird das Einfühlen in die Patientensituation erleichtert. Für pflegeberufliche Neulinge birgt die Darstellung insofern Unklarheiten, als dem handlungsauffordernden fragenden Impuls am Schluss nicht ohne Weiteres entsprochen werden kann. Diese praxisbezogene Handlungsproblematik soll jedoch nicht als Überforderung aufgefasst werden, sondern das Interesse der Lernenden wecken und zur Entwicklung einer Lernstrategie führen. An die situationsadäquate Frage »Was muss nun getan werden?« soll sich im schulischen Lernkontext die Frage knüpfen »Was muss ich wissen, um das Richtige tun zu können?« bzw. »Wie würde ich handeln?«. Hier bietet die Falllösung klar strukturiert sowohl prozedurales Wissen über Standards und Verfahren als auch konzeptuelles Wissen über dahinterliegende Prinzipien und Zusammenhänge an. Das reine Durchlesen der Lösung und eventuelles Auswendiglernen der Inhalte ist wenig sinnvoll für die Entwicklung von Handlungskompetenz. Vielmehr muss eine aktive Auseinandersetzung mit der Musterlösung stattfinden, die nachhaltige Lernergebnisse bezüglich anwendungsbereiten Wissens ermöglichen.

Initiieren von Selbsterklärungen

Bei der Arbeit mit Musterlösungen kommt es nicht nur auf gut zugängliche Lösungsbeispiele an. Die Lernenden müssen auch die Gelegenheit erhalten, die Lösungsschritte sich selbst und anderen zu erklären.

Erklären   *Erklären* heißt in diesem Zusammenhang, dass der Lernende den dargestellten Lösungsweg ausführlich erläutert. Verständnisfragen fördern dabei die Reflexion von Lösungsschritten und geben den Lernenden und Lehrenden Auskunft über den Grad des Verstehens. Solche Verständnisfragen können je nach den Lernvoraussetzungen der Lernenden entweder von diesen selbst entwickelt werden oder von der Lehrenden vorgegeben werden.

In der obenstehenden Fallbeschreibung wird bewusst die laienhafte Sicht Verständnisfragen
des Patienten Benno D. eingenommen. Aus dieser Perspektive ergibt sich
zunächst die Verständnisfrage: »Wie kann eine solche Krankheitskrise so
plötzlich entstehen?« Ihre Beantwortung erfordert Erklärungen über die
medizinisch-naturwissenschaftlichen Zusammenhänge der Krankheitsentstehung, die von den ersten Symptomen bis zur Operation mithilfe pathophysiologischer Wissensbestände erklärt werden können.

Die Patientensicht ist die eines pflegeberuflichen Laien und kommt der
eines pflegeberuflichen Neulings nahe. Sie lässt zunächst die pflegefachli-
che Begründung der erlebten Situation außen vor, so dass die Frage nach
dem »Warum« kontinuierlich gestellt werden kann:

- *Warum* wird der offensichtlich leidende Benno nicht in Ruhe gelassen?
- *Welche* Standards müssen präoperativ durchlaufen werden und welche
  Bedeutung haben die einzelnen Maßnahmen?
- *Warum* müssen die beiden Einwilligungen noch in dieser Situation
  unterschrieben werden? Kann das nicht auch im Anschluss erfolgen
  oder durch Bennos Mutter erledigt werden?
- *Warum* kann eine Blinddarmoperation nicht in Lokalanästhesie durch-
  geführt werden?
- *Warum* muss es einerseits so schnell gehen und warum kann anderer-
  seits nicht sofort operiert werden?

Die Patientenperspektive bietet darüber hinaus Einblicke in seine Erleb-
niswelt, die von dem Gefühl des Überrumpeltseins, von Schmerz und von
Angst geprägt ist. Die Leserin stellt sich die Frage:

- *Welche* Verhaltensweisen könnten ihm bei der Bewältigung der Situ-
  ation helfen?
- *Wie* wäre es mir an Bennos Stelle gegangen?
- *Wie* wäre ich mit Benno umgegangen?

Die intraoperative Phase bildet einen blinden Fleck in der Fallbeschreibung. Dieser wirft die Frage auf, was mit Benno im OP geschehen ist:

- *Welche* räumlichen Bereiche durchläuft er (von der Schleuse bis zum
  Aufwachraum)?
- *Wie* läuft die Narkose ab?
- *Wie* läuft die Operation ab?
- *Was* kann schief gehen?
- *Was* davon hat er bewusst erlebt und was nicht? Woran kann er sich
  später erinnern?
- *Welches* sind die möglichen Komplikationen einer solchen Operation
  und der Anästhesie?

Der Fall endet mit der Übernahme der pflegerischen Verantwortung in
der postoperativen Phase. Die Formulierung »Sie haben Spätschicht und

41

holen Benno …« soll die Leserin dazu auffordern, sich Gedanken über die nun nötigen Pflegetätigkeiten zu machen. Die Leserin fragt sich:

- *Was* müsste ich als nächstes tun?
- *Wie* sieht ein normaler postoperativer Verlauf aus und wie würden sich mögliche Komplikationen bemerkbar machen?
- *Wann* darf Benno trinken und essen?
- *Was* mache ich, wenn Benno zur Toilette muss oder sich frisch machen möchte?
- *Was* mache ich, wenn …?
- *Wie* kann ich Bennos Genesung in den folgenden Tagen unterstützen?
- *Welche* Komplikationen können aufgrund des Operationsverfahrens und der Anästhesie noch auftreten und wie können sie vermieden werden?

Im Unterricht können verschiedene Verfahren zur Erklärung solcher Verständnisfragen zum Einsatz kommen. Die folgenden drei Varianten sind lediglich als methodische Vorschläge zu verstehen und erheben keinen Anspruch auf Vollständigkeit.

Variante A: Selbsterklärung in Einzelarbeit

Selbsterklärung in Einzelarbeit

Die Methode des Selbsterklärens setzt wörtlich genommen beim Selbst und dessen individuellem Klärungsprozess an. Deshalb sollten sich Lernende zunächst einzeln mit einem Lösungsbeispiel auseinandersetzen. Je nach dem zeitlichen Rahmen, den Lernvoraussetzungen sowie dem thematischen Schwerpunkt, der in der jeweiligen Unterrichtseinheit gesetzt werden soll, kann entweder die gesamte Musterlösung oder ausgewählte Teilaspekte bearbeitet werden. Hierzu formulieren die Lernenden Verständnisfragen, die jeder Einzelne selbstständig, schriftlich beantwortet. Es können jedoch auch gezielte Verständnisfragen (siehe oben) vom Lehrenden vorgegeben werden, wenn die Lernenden noch nicht über ausreichende Kompetenzen zur selbstständigen Entwicklung von Fragen verfügen.

Allerdings besteht bei dieser Form der Erarbeitung die Gefahr, dass die Lernenden die Musterlösungen lediglich abschreiben, was den Lernerfolg nachweislich schmälern würde. Um den Selbsterklärungsprozess sorgfältig und nachhaltig zu gestalten, empfiehlt sich der Einsatz einer systematischen Bearbeitungsmethode, die eine handlungsorientierte Auseinandersetzung mit dem Text und den gestellten Fragen ermöglicht. Hierzu eignen sich Methoden der aktiven Textbearbeitung wie z. B. die SQ3R-Methode.

SQ3R-Methode

Schritt 1: Überblick gewinnen (= Survey)
Die Lernenden machen sich mit dem Aufbau des Falls und der Musterlösung vertraut. Sie lernen die Inhalte überblicksartig kennen.

Schritt 2: Fragen (= Question)
Die Lernenden stellen Fragen an den Text.

Schritt 3: Lesen (= **R**ead)
Die Lernenden lesen den Text und achten dabei auf Überschriften, Hauptaussagen, Fachausdrücke, Fremdwörter, Illustrationen und vor allem Definitionen.

Schritt 4: Rekapitulieren (= **R**ecite)
Die Lernenden fertigen Notizen über das Gelesene an und versuchen die gestellten Fragen zu beantworten.

Schritt 5: Wiederholen (= **R**eview)
Die Lernenden überfliegen die einzelnen Überschriften und rufen sich die wichtigsten Aussagen in Erinnerung.

Um die Anfertigung von Notizen in Schritt 4 interessant und abwechslungsreich zu gestalten, können solche schriftlichen Selbsterklärungen auch in Form von Minibooks erstellt werden. Hierbei fertigen die Lernenden kleine Bücher an, in denen sie ihre Selbsterklärungen dokumentieren und sammeln. Im Laufe der Ausbildung können verschiedene solcher ergebnissichernden Minibooks zu einer individuellen Bibliothek vervollständigt werden, die z. B. zur Prüfungsvorbereitung genutzt werden kann.[1] Lernergebnisse können auch kumulativ als ePortfolios dokumentiert werden, die mehr oder weniger interaktiv im Rahmen einer Lernplattform eingerichtet werden können (► **Kap. 4.3**).

Minibooks

Variante B: Erklärung in Partnerarbeit

Lernen durch Lehren

Der Lernerfolg kann durch eine kommunikative Erweiterung der Selbsterklärung noch gesteigert werden, wenn sich die Lernenden ihre Ergebnisse in Zweiergruppen gegenseitig erklären. Damit ist im Rahmen der handlungsorientierten Didaktik eine Methode angesprochen, die als *Lernen durch Lehren* bezeichnet wird. Ihre lernpsychologische Begründung wird von Mietzel (2003) wie folgt zusammengefasst:

> »Wenn ein Schüler aufgefordert wird, seine Äußerungen anderen gegenüber zu erläutern, zu elaborieren oder zu verteidigen, ist es sehr wahrscheinlich, daß bei ihm ein tieferes Verständnis entsteht. Die Last des Erklärens gibt häufig den Schubs, der benötigt wird, um das eigene Wissen auf neue Weise zu bewerten, zu integrieren und zu elaborieren« (ebd., S. 294).

Eine solche gegenseitige Erläuterung der Musterlösungen kann beispielsweise in Schritt 4 »Rekapitulieren« der SQ3R-Mehode integriert erfolgen.

---

1 Eine Faltanleitung findet man unter: www.minibooks.ch.

Gruppenpuzzle | **Variante C: Erklärung in Gruppen**

Die Arbeit mit Musterlösungen kann auch in Form von Gruppenunterricht initiiert werden. Die Jigsaw-Methode, die auch unter dem Begriff Gruppenpuzzle bekannt ist, bietet eine Möglichkeit der interaktiven Erschließung von Unterrichtsinhalten, die ebenfalls Aspekte des Lernens durch Lehren einschließt. Sie eignet sich insbesondere für Unterricht, in dem komplexe Sachverhalte zunächst entlang ihrer Teilaspekte bearbeitet und anschließend hinsichtlich ihrer Zusammenhänge erfasst werden sollen.

Die Lernenden (Phase 1) erschließen sich zunächst arbeitsteilig ein Thema in Kleingruppen (= Expertenrunde, Phase 2). Am Ende dieser Phase muss jedes Gruppenmitglied so viel Fachkompetenz und Sicherheit entwickelt haben, dass es sich als Experte fühlt. Anschließend planen die Gruppenmitglieder, wie sie den Lernstoff wirkungsvoll an die übrigen Teilnehmer vermitteln können. Dazu werden Plakate, Folien o. Ä. engfertigt.

In der letzten Phase werden neue Kleingruppen zusammengestellt (= Unterrichtsrunde, Phase 3). Darin sind alle verschiedenen Teilbereiche des Lernstoffs durch wenigstens einen Experten vertreten. Reihum erklärt jeder als Lehrperson sein vorbereitetes Thema, während die anderen Gruppenmitglieder Lernende sind.

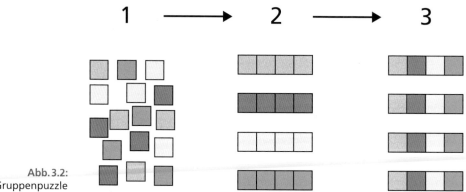

Abb. 3.2:
Gruppenpuzzle

Bezogen auf die Musterlösung zum Fall »Bennos Bauch« könnten in Form eines solchen Gruppenpuzzles beispielsweise die medizinisch-naturwissenschaftlichen Kenntnisse arbeitsteilig erklärt werden, um ein Verständnis der Krankheitsentstehung sowie der Behandlungsmöglichkeiten zu entwickeln. Für die Durchführung eines Gruppenpuzzles könnten die Bearbeitungsaufträge in der Expertenrunde (Phase 2, ► Abb. 3.2) folgendermaßen gegliedert bearbeitet werden:

Gruppe 1:   Wo liegt der Wurmfortsatz des Bilddarms und wozu braucht man ihn? Erklärung der genauen Lage im Bauchraum sowie Bau und Funktion.

Gruppe 2: Wie entsteht eine Entzündung des Wurmfortsatzes des Bilddarms? Erklärung der allgemeinen Epidemiologie und Varianten der Ätiologie.

Gruppe 3: Welche Symptome treten bei der Entzündung des Wurmfortsatzes des Bilddarms auf? Erklärung von Krankheitserleben und klinischen Zeichen einer Appendizitis.

Gruppe 4: Welche Möglichkeiten der Behandlung gibt es? Überblickartige Erklärung operativer und konservativer Behandlungsmöglichkeiten.

In Phase 3 (▶ Abb. 3.2) des Gruppenpuzzles erklären sich die Lernenden die Ergebnisse aus jeder Gruppe gegenseitig, so dass grundlegendes Wissen und Verständnis zu allen vier Fragerichtungen bei allen Lernenden entwickelt wird.

Selbsterklärung im Überblick	
Einzelarbeit	SQ3R-Methode, Minibooks
Partnerarbeit	Lernen durch Lehren
Gruppenarbeit	Gruppenpuzzle

Tab. 3.1: Methoden und Sozialformen der Selbsterklärung

3.2.3 Grenzen der Arbeit mit Musterlösungen

Die beschriebenen Methoden des selbsterklärenden Lernens bieten neben ihren inhaltsaufschließenden Potenzialen auch Entwicklungsmöglichkeiten metakognitiver Kompetenz. Hierzu ist es allerdings erforderlich, dass die Lernenden ihre gewählten Erklärungsstrategien reflektieren und hinsichtlich ihres Erfolgs selbst bewerten. Zum Beispiel durch das Führen eines Lerntagebuchs kann das Lernen über das eigene Lernen bewusst gemacht werden, eventuelle Hindernisse können gezielt identifiziert und bearbeitet werden. Sich etwas selbst erklären zu können, birgt darüber hinaus emanzipatorische Bildungsansätze, weil die Lernenden befähigt werden, auch unabhängig von Lehrenden zu lernen.

Im Rahmen methodischer Ansätze, bei denen Selbsterklärung initiiert wird, bleibt für den Lehrenden allerdings oft unklar, welche Qualität die entwickelten Ergebnisse der Lernenden haben. Nicht alle sind in gleicher Weise in der Lage, ihr eigenes Verständnis kritisch zu überprüfen und gute Erklärungen zu erarbeiten. Empirische Befunde aus der Lernpsychologie zeigen, dass gute Lerner im Vergleich zu schwächeren quantitativ mehr Erklärungen liefern und ihr Verständnis qualitativ besser einschätzen (vgl. Mietzel, 2003, S. 294). Das Lernen mit Musterlösungen durch Selbsterklärungen erfordert deshalb eine differenzierte Förderung der Methodenkompetenz bei den Lernenden. Die Bearbeitungstiefe und das fachliche Niveau bzw. die erwarteten Mindestanforderungen müssen für die Lernenden erkennbar sein. Arbeitsaufträge und Aufgabenstellungen müssen deshalb so formuliert werden, dass das geforderte Anspruchsniveau transparent ist. Eventuelle Ergebniskorrekturen und die Aufforderung zur Nachbesserung bleiben gegebenenfalls Aufgabe der Lehrenden.

3.3 Problemorientiertes Lernen (ein Fall mit Schwierigkeiten)

Die Fälle und Musterlösungen der Reihe »Pflege fallorientiert lernen und lehren« sind nicht nur zum Lernen mit Musterlösungen geeignet, sondern können auch als Basis für klassische fallbasierte Verfahren wie das problemorientierte Lernen (POL) verwendet werden.[2]

Obwohl bei diesem Ansatz nicht von einer Bearbeitung von Musterlösungen ausgegangen wird, können sich dessen Potenziale auch hierbei entfalten, in dem selbstständig Lerngegenstände erschlossen werden, die über die jeweilige Musterlösung hinaus weisen bzw. diese ergänzen oder vertiefen. Um sich dem Ansatz des problemorientierten Lernens nähern zu können, muss zunächst geklärt werden, wodurch ein Problem gekennzeichnet ist.

Problem   Nach Dörner kann von einem Problem gesprochen werden, wenn ein Individuum

> »sich in einem inneren oder äußeren Zustand befindet, den es aus irgendwelchen Gründen nicht für wünschenswert hält, aber im Moment nicht über die Mittel verfügt, um den unerwünschten Zustand in den wünschenswerten Zielzustand zu überführen« (Dörner, 1976, S. 10).

Ein Problem gliedert sich nach Fischer (2004, S. 19) somit in die drei Faktoren nämlich

- einen unerwünschten Ausgangszustand,
- einen erwünschten Zielzustand und
- eine Barriere, die die Transformation vom Ausgangs- in den Zielzustand verhindert.

POL bietet unter dieser Prämisse eine Methode, die hinderliche Barriere durch die Erschließung von Wissen und Können zu überwinden.

Für den Bereich der allgemeinbildenden Schule leiten Werning und Kriwet (1999) die Relevanz problemlösenden Lernens daraus ab, dass

---

2 POL wird im Weiteren synonym mit dem Begriff des problembasierten Lernen (PBL) verwendet.

die wirklich wichtigen Fragestellungen der Zukunft prinzipiell unlösbare Probleme darstellen. Schule müsse deshalb auf die Komplexität und Offenheit der Lebenswirklichkeit vorbereiten. Fischer (2004, S. 20 f.) knüpft an diese Argumentation die Relevanz von POL für die pflegeberufliche Bildung an, indem sie in diesem Berufsbereich Arbeitsbedingungen und Entwicklungstrends identifiziert, die ebenfalls komplex und offen bzw. durch unlösbare Probleme gekennzeichnet seien.

Komplexität und Offenheit der Lebenswirklichkeit

Neben der Bedeutung hinsichtlich des systematischen Wissenserwerbs verfolgt der POL-Ansatz weitere, zentrale Ziele wie die Befähigung zum selbstgesteuerten Lernen sowie zum Analysieren und Lösen von Problemen. Die Bedeutung dieses Verfahrens wird somit vor allem in seiner übergeordneten Ausrichtung auf die Entwicklung von Methoden- und Lernkompetenz gesehen. Glen/Wilkie (2001, S. 29 ff.) heben in diesem Zusammenhang hervor, dass durch POL die Eigenverantwortung für den Lernprozess gefördert werde. Insbesondere durch die Orientierung an vorhandenem Wissen, dem konkreten Praxisbezug sowie durch die partizipative Lernzielformulierung würden Strategien eingeübt, die eine nachhaltige Motivation und Befähigung zu lebenslangem Lernen begünstigten.

»Das problemorientierte Lernen fördert ein aufgeschlossenes, reflektiertes, kritisches und aktives Lernen; es erkennt an, dass sowohl der Lehrer als auch die Studenten über Wissen, Verständnis, Gefühle und ein gemeinsames Interesse hinsichtlich des Ausbildungsprozesses verfügen« (Glen/Wilkie, 2001, S. 38).

Lebenslanges Lernen

Aus pflegedidaktischer Perspektive wird mit dem POL ein fächerintegrativer Ansatz unterstützt, der die von Darmann-Finck (2005, S. 329) kritisierte Überbetonung der Regelorientierung in pflegebezogenen Bildungsprozessen aufbrechen kann. Der problemorientierte Ansatz wird jedoch vor allem von Ertl-Schmuck (2010, S. 55 ff.) im Rahmen ihrer subjektorientierten Pflegedidaktik geforderten. Neben der Entwicklung von Fach- und Sozialkompetenz weisen Bögemann-Großheim (1999, S. 9) u. a. auch auf die Förderung der Selbstständigkeit der Lernenden hin, wodurch das Kompetenzspektrum um Aspekte der personalen Kompetenz erweiterte werde. Falk (2010) rückt POL in den Kontext des selbst gesteuerten Lernens. Sie schließt damit an aktuelle Trends der Berufspädagogik an und stellt deren Bezüge für das pflegberufliche Lernen heraus. Sie versteht unter Selbststeuerung, dass der Lernende zielgerichtet seine Lernhandlung unter Einbeziehung von Informationen plant und sein Lernen auf den antizipierten Soll-Zustand ausrichtet. Die durch Auswertung im Rahmen eines Soll-Ist-Vergleichs gewonnenen Einsichten gehen in weitere Planungen seines Lernens ein. Grundlage des selbstgesteuerten Lernens ist ein handlungstheoretisches Lernverständnis. Der handelnde Mensch ist ein Subjekt, das sich Ziele setzt oder vorgegebene Ziele verfolgt (vgl. Falk, 2010, S. 171 ff.).

Selbst gesteuertes Lernen

Unter dem übergeordneten Ziel der Befähigung zu lebenslangem Lernen eignen sich Lernende damit Methoden an, mit deren Hilfe Wissen und Kompetenzen bedürfnisorientiert selbst entwickelt werden können. Verbunden damit ist der emanzipatorische Ansatz, den persönlichen Wissens- und Erfahrungshorizont unabhängig von formalen Bildungsprozessen weiterentwickeln zu können. Neben der berufsqualifikatorischen Zielsetzung wird durch selbst gesteuerte und selbst organisierte Lernphasen Methodenkompetenz erlangt, die diese übergeordneten Intentionen in den Blick nehmen.

3.3.1 Problemorientiertes Lernen im fallbasierten Unterricht

Durch wenige Veränderungen kann das Fallbeispiel aus dem vorigen Kapitel von einem Routinefall zu einem Fall mit Schwierigkeiten werden, indem unvorhergesehene Probleme auftreten, die zusätzliche fachliche Kenntnisse aus weiteren Wissenschaftsgebieten erfordern.

Es treten Komplikationen auf: Bennos Bauch heilt nicht
In Ihrer Spätschicht sind Sie für die Pflege von Benno zuständig und holen ihn gegen 17:30 Uhr aus der Anästhesieabteilung ab. Er ist wach und ansprechbar. »War's das jetzt?«, fragt er sie. Da alles normal verlaufen ist, können Sie ihn beruhigen. Auch in den nächsten Tagen sind Sie mit der postoperativen Versorgung von Benno beauftragt, deshalb fällt Ihnen am zweiten Tag nach der OP auf, dass Bennos Temperatur steigt. Er schläft viel und hat keine Lust, Musik auf seinem mp3-Player zu hören. »Eigentlich wollte ich heute meine Sachen packen, damit ich morgen nach Hause gehen kann, aber ich fühle mich echt zu schlapp«, begrüßt er Sie zum Spätdienst. Bei der Kontrolle der Wunde fallen Ihnen eine leichte Rötung und ein milchiges Sekret im Bereich der Wundränder auf. Sie benachrichtigen die ärztlichen Kollegen, die eine bakteriologische Untersuchung veranlassen. Der Befund des Wundabstrichs kommt nach zwei Tagen und ergibt eine Infektion mit multiresistenten Staphylokokken (MRSA). Der Stationsarzt teilt Benno die Diagnose mit und informiert ihn darüber, dass er vorerst im Krankenhaus bleiben muss, weil er eine spezielle Antibiotikatherapie braucht. Benno ist sauer! »Wie kann denn das passieren? Ich habe mich doch immer an eure Anweisungen gehalten«, fährt er Sie recht patzig an, als der Arzt das Zimmer verlassen hat. Sie möchten sich lieber nicht mit ihm darüber unterhalten, wer Schuld an dieser Situation haben könnte. Sie sind davon überzeugt, dass Sie und Ihre Kollegen nichts dafür können. Deshalb erklären sie Benno lediglich, welche neuen Maßnahmen in den nächsten Tagen auf ihn zukommen.

Diese neue Situation erfordert zu ihrer kompetenten Bewältigung weiteres Fachwissen. Die Musterlösung beinhaltet deshalb beispielsweise die folgenden Wissensbereiche.

Kenntnisse der Gesundheits- und Krankenpflege bzw. der Gesundheits- und Pflegewissenschaft:

- Pflege bei MRSA
- Isolierungsmaßnahmen
- Septischer Verbandwechsel

Pflegerelevante Kenntnisse der Naturwissenschaften und der Medizin:

- Mikrobiologische Grundlagen chirurgischer Infektionen
- Sekundäre Wundheilung
- Chirurgische Infektionen
- Epidemiologie nosokomialer Infektionen
- Prävention und Therapie von Infektionen mit multiresistenten Keimen

Pflegerelevante Kenntnisse der Geistes- und Sozialwissenschaften:

- Geschichte der medizinischen Mikrobiologie und Infektionsbekämpfung
- Compliance

Pflegerelevante Kenntnisse aus Recht, Politik und Wirtschaft:

- Haftungsrecht

3.3.2 Die Methode 7-Sprung

POL wurde in Europa erstmals 1971 an der Medizinischen Fakultät der Universität Limburg in Maastricht als curriculares Prinzip und innovative Lehrmethode eingeführt. Moust, Bouhuijs und Schmidt legten 1999 mit ihrer Veröffentlichung »Problemorientiertes Lernen« den Grundstein für eine verstärkte pflegepädagogische Aufmerksamkeit auf POL in Deutschland. Sie gliedern den Prozess des Problemlösens im Unterricht in eine siebenteilige Struktur, aus der sich die Bezeichnung 7-Sprung ableitet (Fischer, 2004, S. 31):

Der 7-Sprung

- Klärung unklarer Begriffe
- Problemdefinition
- Problemanalyse
- Systematische Vertiefung
- Lernzielformulierung
- Selbstständiges Studium
- Synthese der neuen Informationen

Diese Vorgehensweise gleicht einem Stufenmodell, da das Arbeits- und Lernergebnis jedes »Sprungs« die Ausgangsbasis für den jeweils nächsten bildet.

Bezogen auf die oben skizzierte Musterlösung des Falls »Bennos Bauch heilt nicht« kann eine problemorientierte Fallerweiterung initiiert werden, bei der beispielsweise der Schwerpunkt auf der Verantwortung und der Zuständigkeit Pflegender bei der Bekämpfung von nosokomialen Infektionen liegt. Dazu wird die Schlusspassage der Fallbeschreibung in den Fokus gerückt:

Falldarstellung

Benno ist sauer! »Wie kann denn das passieren? Ich habe mich doch immer an eure Anweisungen gehalten«, fährt er Sie recht ungehalten an. Sie möchten sich lieber nicht mit ihm darüber unterhalten, wer Schuld an dieser Situation haben könnte. Sie sind davon überzeugt, dass Sie und Ihre Kollegen nichts dafür können. Deshalb erklären Sie Benno lediglich, welche neuen Maßnahmen in den nächsten Tagen auf ihn zukommen.

I Klärung unklarer Begriffe

Der erste Schritt dient dazu, ein einheitliches Textverständnis hinsichtlich der Problembeschreibung bei den Lernenden zu erzeugen. Damit wird eine Basis für die weiteren Bearbeitungsschritte geschaffen, die Missverständnissen oder Fehldeutungen von Fachbegriffen vorbeugen soll. Wenn (wie in der Buchreihe »Pflege fallorientiert lernen und lehren«) Musterlösungen zu anderen inhaltlichen Schwerpunkten des Falls vorliegen, können die relevanten Fachtermini und Sachzusammenhänge aus der beschriebenen Falllösung erschlossen werden. Darüber hinausgehende, klärungsbedürftige Konzepte werden mit Unterstützung der Lehrkraft und einschlägiger Fachliteratur im Plenum bestimmt und definiert. Im oben vorgeschlagenen Problemschwerpunkt treten keine schwierigen Fachbegriffe auf. In einem solchen Fall kann diese Phase kurz gestaltet werden.

II Problemdefinition (worum soll es gehen)

Für diese Phase wird die Arbeit in Kleingruppen von 6–10 Lernenden empfohlen (vgl. Fischer, 2004, S. 31). Ziel ist es, sich bezüglich der konkret zu bearbeitenden Problemstellung zu einigen. Dies erfordert sowohl eine Klärung des Problemthemas als auch eine Eingrenzung des häufig breiten Problemspektrums. Eine klare und verständliche Problemdefinition ist entscheidend für Erfolg oder Misserfolg des Problemlösungsprozesses, denn sie stellt sicher, dass alle Gruppenmitglieder vom gleichen Problemverständnis ausgehen. Ohne diese definitorische Klärung besteht die Gefahr, dass die Lernenden von unterschiedlichen Vorstellungen über die je spezifischen Aspekte des Problems ausgehen. Insofern werden in dieser Phase wichtige Weichen für die weiteren Bearbeitungsschritte gestellt, die an die Schlüsselfragen geknüpft sind:

> Um welches Problem geht es nach Ansicht der Gruppe und um welches geht es nicht?

Wack u. a. (1998, S. 26 ff.) empfehlen eine systematische Vorgehensweise für eine gelingende Problemdefinition, bei der die Problemstellung zunächst eingegrenzt wird, bevor eine Problemklärung und die Neuformulierung des Problems erfolgen.

Problemstellung eingrenzen

Bezogen auf die geschilderte Fallerweiterung könnten folgende Fragen im Raum stehen:

- Was möchte Benno wissen?
- Warum ist er so ärgerlich?
- Welchem Problem weicht die Pflegekraft im Fallbeispiel aus?
- Welches Gesprächsthema vermeidet die Pflegekraft und warum?
- Welche Zuständigkeit entfällt auf das Pflegepersonal hinsichtlich der Vermeidung nosokomialer Infektionen?
- Welche Berufseinstellung sollte man in diesem Zusammenhang entwickeln?
- Wie könnte ein konstruktives Gespräch mit Benno geführt werden?

Am Ende dieser Phase sollte den Lernenden klar sein, welcher Teil des Problems weiter bearbeitet werden soll.

Problemklärung herbeiführen

Allerdings kann sich im Rahmen der Eingrenzung des Problems weiterer Klärungsbedarf ergeben. Dabei steht nicht die Klärung des fachlichen Hintergrunds sondern die interessengeleitete Schwerpunktsetzung der Lernenden im Zentrum. So könnte es ratsam sein, eine einvernehmliche Deutung der Konzepte »Schuld« und »Kolleginnen und Kollegen aus dem Pflegedienst« im Fallzusammenhang herzustellen, bevor die Lernenden weiter arbeiten.

Neuformulierung des Problems

Sind die beschriebenen Klärungsprozesse durchlaufen, empfehlen die Autoren eine Neuformulierung der Problemlage. Dabei ergibt sich die Herausforderung, dass das Problem zwar fokussiert werden muss, jedoch im Interesse des Lernprozesses nicht zu stark eingeengt werden darf. Das neu formulierte Problem könnte beispielsweise bezogen auf den oben beschriebenen Fall lauten:

> Wie kann eine konstruktive und informative Antwort auf Bennos Frage nach den Ursachen seiner Infektion aussehen?

Im Ganzen erfordert das Verfahren der Problemklärung eine intensive Auseinandersetzung aller Gruppenmitglieder. Wack u.a. (1998) sehen neben den beschriebenen Eingrenzungs- und Klärungspotenzialen vor diesem Hintergrund auch den Vorteil, dass sich die Lernenden im Weiteren unbewusst mit dem Problem und seiner Lösung beschäftigen, wodurch kreative Denkprozesse gefördert werden (ebd., S. 27).

Problemklärung

> Problemstellung eingrenzen
> Problemklärung herbeiführen
> Neuformulierung des Problems

III Problemanalyse (was wir schon wissen)

Durch die Reformulierung des eingegrenzten Problems wird die Voraussetzung geschaffen, bereits vorhandenes Wissen zu aktivieren. Schwarz-Govaers (2010, S. 181) geht in ihrem subjekt- und handlungstheoretisch fundierten Arbeitsmodell zur Pflegedidaktik davon aus, dass die Bewusstmachung der jeweiligen subjektiven Theorien der Lernenden essenziell für die Entwicklung beruflicher Handlungskompetenz ist. Sie stützt sich dabei auf Erkenntnisse der Neurodidaktik:

> »Lernprozesse verlaufen in der Regel von selbst erfolgreich, wenn an Bekanntes angeknüpft werden kann, anderenfalls wird kaum etwas oder gar nichts oder etwas völlig anderes gelernt« (Herrmann, 2009a, S. 157).

Mit der Phase der Problemanalyse im Rahmen des POL wird dieser Anforderung Rechnung getragen, indem der in der Gruppe vorhandene kognitive Kontext des Problems assoziiert bzw. erinnert, kommuniziert und dokumentiert wird.

Als Unterrichtsverfahren werden hierzu Assoziationsmethoden wie das Brainstorming oder das Brainwriting (▶ Kap. 3.4.1) eingesetzt. An dieser Stelle wird das Brainwriting vorgestellt, das auch als Methode 6-3-5 bekannt ist.

Brainwriting

Für das Brainwriting (▶ Abb. 3.3) sitzen die Gruppenmitglieder rings um einen großen Tisch. Sie erhalten ein Plakat, das in so viele Zeilen, wie Gruppenmitglieder vorhanden sind, eingeteilt ist. Das so gebildete Raster wird mit der Problemstellung überschrieben.

Ein Gruppenmitglied beginnt das Brainwriting, indem es drei Lösungsansätze in die Felder der oberen Zeile einträgt. Dann wird das Blatt kommentarlos an den links sitzenden Nachbarn weitergegeben, der die nächste Zeile bearbeitet, indem der erste Vorschlag ergänzt bzw. weiterentwickelt wird. So wandert das Blatt zu jedem Gruppenmitglied, wobei die Kommunikation ausschließlich schriftlich erfolgen soll. Wie bei anderen Assoziationsmethoden ist auch hier von Bedeutung, dass jede Idee festgehalten wird, auch wenn diese zunächst nicht zielführend oder sogar abwegig wirkt. Jedes Gruppenmitglied bekommt für die Formulierung

Wie könnte eine konstruktive und informative Antwort auf Bennos Frage nach den Ursachen seiner Infektion aussehen?		
Lerner 1 Vorschlag A ⇩	Lerner 1 Vorschlag B ⇩	Lerner 1 Vorschlag C ⇩
Lerner 2 Vorschlag A ⇩	Lerner 2 Vorschlag B ⇩	Lerner 2 Vorschlag C ⇩
Lerner 3 Vorschlag A ⇩	Lerner 3 Vorschlag B ⇩	Lerner 3 Vorschlag C ⇩
Lerner 4 Vorschlag A ⇩	Lerner 4 Vorschlag B ⇩	Lerner 4 Vorschlag C ⇩
Lerner 5 Vorschlag A ⇩	Lerner 5 Vorschlag B ⇩	Lerner 5 Vorschlag C ⇩

Abb. 3.3:
Brainwriting
(vgl. Wack et al.,
1998, S. 48)

der drei Lösungsansätze 5 Minuten Zeit. Nach Beendigung dieser Ideensammlung werden die beschrifteten Blätter der einzelnen Arbeitsgruppen im Plenum sichtbar aufgehängt. Die Ergebnisse können nun beispielsweise anhand einer Punktabfrage durch die Lernenden bewertet werden, indem diese pro Blatt drei Lösungsansätze mit Klebepunkten markieren, die ihnen am plausibelsten oder geeignetsten erscheinen. Hierdurch ergibt sich ein anschauliches Bewertungsbild als Grundlage zur Weiterarbeit. Zur Lösungsoptimierung können zusätzlich negativ bewertete Lösungsvorschläge analysiert werden. Unter der Fragestellung, wie diese umformuliert werden könnten, damit sie zur Lösung beitragen können, werden teilweise durchaus brauchbare Ideen entwickelt. Die Vorteile des Brainwriting liegen in seiner leichten Umsetzbarkeit und in der Fülle der Ideen, die in relativ kurzer Zeit generiert werden.

IV Systematische Vertiefung (was wir genauer wissen wollen)

Die Problemanalyse hinsichtlich des bereits vorhandenen Wissens wird dahingehend weitergeführt, dass die generierten Ideen inhaltlich strukturiert bzw. thematisch geordnet werden. Dieser entscheidende Schritt zur Vorbereitung der nächsten Phase liegt in der Identifikation von offenen Fragen, Wissenslücken und divergierenden Ansichten, die im Rahmen der Problemanalyse zu Tage getreten sind. Hierbei sind Moderations- und Visualisierungstechniken hilfreich, da sie das Kategorisieren und Clustern der Ergebnisse erleichtern. Die Entscheidung, welche Fragestellungen zur weiteren Klärung bearbeitet werden sollten, erfolgt zweckmäßigerweise im Plenum, damit die Lernenden im Rahmen der weiteren Bearbeitungsschritte von der gleichen Basis ausgehen.

Malorny, Ch., Langner, M. (2007): Moderationstechniken. München: Hanser Verlag.   Zum Weiterlesen

V Lernzielformulierung (was wir erreichen wollen)

Im fünften Schritt geht es darum, die ermittelten Wissenslücken zunächst strategisch anzugehen, indem Lernziele formuliert und festgelegt werden. Diesen Lernzielen kommt die Funktion zu, gleichsam als Brücke zwischen den identifizierten Wissenslücken und neuem Wissen zu wirken. Dabei geht es nicht ausschließlich um Wissen, das auf die Problemlösung im engeren Sinn gerichtet ist, sondern auch um darüber hinaus reichendes Kontextwissen. Die in dieser Phase entwickelten Zielformulierungen bilden die Basis für den nächsten Schritt, in dem jedes Gruppenmitglied selbstständig in Einzelarbeit an der Zielerreichung arbeitet. Für den Erfolg der Lerngruppe ist es deshalb wichtig, dass die Ziele möglichst konkret in Form intendierter Lernergebnisse formuliert werden. Hierdurch werden die Lernziele für alle Gruppenmitglieder verständlich und deren Ergebnisse überprüfbar. Bezogen auf den oben beschriebenen Fall könnten die Lernziele der Lernenden folgendermaßen in ganz unterschiedliche Problembereiche weisen:

Exemplarische Zielformulierungen

- Wir wissen, wo und wie epidemiologische Daten über nosokomiale Infektionen in unserem Krankenhaus gesammelt werden.
- Wir verstehen, wie Patienten Isolierungsmaßnahmen empfinden.
- Wir kennen die Strategien unseres Krankenhauses zur Senkung der MRSA-Fälle.

Am Ende dieser Phase verabreden die Gruppenmitglieder ihr weiteres Vorgehen. Hierzu wird empfohlen, nicht arbeitsteilig zu verfahren, sondern alle Lernziele von allen Gruppenmitgliedern gleichzeitig bearbeiten zu lassen. Aus ökonomischen Gesichtspunkten könnte eine Arbeitsteilung im Rechercheprozess zwar sinnvoll sein, die Qualität der inhaltlichen Ausarbeitung ist jedoch ertragreicher, wenn jedes Gruppenmitglied alle Lernziele zu erreichen versucht.

VI Selbstständiges Studium (wir informieren uns so umfassend wie möglich)

Ziel dieser Phase ist es, die erforderlichen Informationen für die Zielerreichung zu beschaffen und zu bewerten. Damit sind zwei verschiedene Anforderungen verbunden. Zum einen müssen die Lernenden herausfinden, wo Informationen gewonnen werden können. Dabei können grundlegend drei Arten von Informationsquellen unterschieden werden:

- Informationen aus Expertenbefragungen
- Informationen aus Printmedien
- Informationen aus elektronischen Medien

Informationsquellen können sowohl innerhalb als auch außerhalb des Lernorts Schule gesucht und gefunden werden. Bei der Frage nach dem

»Wo« spielt somit die Erreichbarkeit bzw. Zugänglichkeit von Informationsquellen eine entscheidende Rolle. Im günstigsten Fall verfügen die Lernenden bereits über Recherchekompetenz, die sich nach Price (2005, S. 90) in folgende Teilaspekte gliedern lässt:

- Umgang mit Zeit und anderen Ressourcen,
- strategische Vorgehensweise,
- Regeln für die Untersuchung,
- Nutzen und Erschließen verschiedener Informationsquellen,
- effektives Aufzeichnen der Ergebnisse.

Recherchekompetenz

Zum anderen besteht eine zweite Anforderung darin, das recherchierte Informationsmaterial auf die Brauchbarkeit für die Zielerreichung hin zu bewerten und die fachliche Qualität der Informationen einzuschätzen. Diese Bewertung kann von den Mitgliedern einer Arbeitsgruppe durch eine Sortierung in drei Kategorien vorgenommen werden wie z. B.:

- zentral wichtige Information,
- hilfreiche Hintergrundinformation,
- wenig verwertbare Information.

Qualität der Informationen

Darüber hinaus müssen mit den Lernenden Qualitätskriterien für mündlich, schriftlich und elektronisch veröffentlichte Informationen erarbeitet werden, die die Bewertung des recherchierten Materials unterstützen. Durch die gemeinsame Auseinandersetzung mit Gütekriterien von Rechercheergebnissen kann nicht nur deren Qualität systematisch verbessert, sondern auch die Medienkompetenz der Lernenden gefördert werden.

Tulodziecki, G., Herzig, B., Grafe, S. (2010): Medienbildung in Schule und Unterricht. Bad Heilbrunn: UTB.
Stadler, M. (Hrsg.) (2008): Medienkompetenz. Handbuch zur Wissensverarbeitung für Pflegende und Hebammen. Bern: Huber.

Zum Weiterlesen

Das in dieser Phase stattfindende Lernen im Selbststudium entlang eigens gesetzter Ziele weist in besonderem Maße auf das Potenzial des POL hin. Es kann zu selbst intendiertem und selbst organisiertem Lernen befähigen. Dies kann allerdings kaum durch bloßes Einfordern erreicht werden, sondern muss angebahnt und durch hilfreiche Verfahren unterstützt werden. Beispielsweise ist die Erstellung eines Lerntagebuchs dazu geeignet, aktives und selbst gesteuertes Lernen einzuüben.

Das Schreiben eines Lerntagebuchs soll zu einem vertieften Verständnis des behandelten Stoffs führen, indem es zu regelmäßiger Nachbearbeitung und Reflexion anregt. Das Lerntagebuch soll außerdem das Bewusstsein für den eigenen Lernprozess fördern. Es dient also erstens der Überwachung des eigenen Verstehens (Welche Zusammenhänge habe ich

Lerntagebuch

55

verstanden, welche sind mir nicht klar geworden?) und wirkt dem Entstehen von Verständnisillusionen entgegen. Zweitens führt eine kontinuierliche Dokumentation und Reflexion der Lernerfahrungen zu einem besseren Verständnis des eigenen Arbeitsverhaltens und auf diese Weise zur Entwicklung individueller Lern- und Arbeitsstrategien. Nach Winter (2007, S. 112) eignen sich die folgenden Kategorien zur Strukturierung eines Lerntagebuchs:

Strukturierung eines Lerntagebuchs

- Lernziele
- Notizen zu Inhalten des Lernens, der Lernstoff sollte in eigene Worte gefasst werden
- Offene Fragen und Unerledigtes
- Berichte über Ablauf und Formen der Recherche; es sollte über das Lernziel hinaus recherchiert werden; es sollte sich nicht mit nur einer Quelle begnügt werden
- Berichte über Ergebnisse der Recherche
- Empfundene Lernbehinderungen
- Schilderung innerer Zustände wie Irritationen, Erleichterung, Spannungserleben, Hoffnungen, Erwartungen und Wünsche
- Formulierung von persönlichen Einsichten und Erfahrungen
- Äußerung von gewonnenen Meinungen
- Heranziehen eigener Erfahrungen

Die Ergebnisse des selbstständigen Studiums in dieser sechsten Phase können mithilfe der Tagebuchaufzeichnungen für die nächste Phase des POL aufbereitet werden. Die lernstrategischen, metakognitiven Erkenntnisse sollten gesondert im Unterricht thematisiert werden und können darüber hinaus als Grundlage von Lernberatungsgesprächen herangezogen werden.

Zum Weiterlesen Gläser-Zikuda, M., Hascher, T. (Hrsg.) (2007): Lernprozesse dokumentieren, reflektieren und beurteilen. Bad Heilbrunn: Klinkhardt.

VII Synthese der neuen Informationen (unser Lösungsvorschlag)

Bei der letzten Zusammenkunft in der Arbeitsgruppe werden die erarbeiteten Lernergebnisse vorgestellt und im Hinblick auf die formulierten Ziele zusammengeführt. Die Überprüfung der neu erworbenen Kenntnisse am Ausgangsproblem muss abschließend erweisen, ob dieses abschließend gelöst bzw. geklärt ist.

Die ausführlichen Berichte der Gruppenmitglieder können jedoch auch dazu führen, dass neue Ziele formuliert werden müssen, weil der Bericht neue Fragen aufwirft oder die ursprüngliche Problemstellung so unklar war, dass keine brauchbaren Ergebnisse erzielt werden konnten. In diesen Fällen müssen die Schritte vier bis sieben erneut durchlaufen werden. Die folgende Gesamtübersicht über die sieben Schritte des POL (▸ **Tab. 3.2**) zeigt den Wechsel der Sozialformen auf.

Schritt		Sozialform
I.	Klärung unklarer Begriffe	Gruppenarbeit/Plenum
II.	Problemdefinition	Gruppenarbeit
III.	Problemanalyse	Gruppenarbeit
IV.	Systematische Vertiefung	Gruppenarbeit
V.	Lernzielformulierung	Gruppenarbeit
VI.	Selbstständiges Studium	Einzelarbeit
VII.	Synthese der neuen Informationen	Gruppenarbeit

Tab. 3.2:
Wechsel der Sozialformen beim 7-Sprung

Zum Weiterlesen

Falk, J. (2010): Methoden selbstgesteuerten Lernens für Gesundheits- und Pflegeberufe. Weinheim und München: Juventa.
Fischer, R. (2004): Problemorientiertes Lernen in Theorie und Praxis. Stuttgart: Kohlhammer.
Glen, S., Wilkie, K. (2001): Problemorientiertes Lernen für Pflegenden und Hebammen. Bern: Huber.

Modifikationen der Methode 7-Sprung

Es soll an dieser Stelle nicht unerwähnt bleiben, dass ausgehend von der klassischen 7-Sprung-Methode des POL im Kontext pflegedidaktischer Überlegungen erweiterte Verfahren entwickelt wurden.

So bietet Fischer (2004, S. 94 ff.) eine erweiterte Form der Methode an, in der die Zielformulierung und das selbstständige Studium durch Zwischenschritte ergänzt werden. Darüber hinaus fügt sie einen achten Schritt an, in dem die Arbeitsergebnisse aus den Kleingruppen im Plenum zusammengetragen und evaluiert werden. Diese Modifikation ist insbesondere zur Heranführung ungeübter Gruppen an problemlösendes Lernen geeignet, weil hierdurch Phasen der inhaltlichen und methodischen Korrektur eingeplant sind, die den Lernenden mehr Sicherheit über den eigenen Lernerfolg und darüber hinaus metakognitives Lernen bieten also Lernen über das eigene Lernen.

3.3.3 Grenzen des POL im Unterricht

In allen gängigen pflegepädagogischen Quellen werden dem POL Potenziale zur Entwicklung der Teamfähigkeit Lernender zugeschrieben, die aus der überwiegenden Arbeit in Kleingruppen abgeleitet werden. Dem kann jedoch entgegengehalten werden, dass nicht automatisch soziale Kompetenz wie Teamfähigkeit oder kooperatives Lernverhalten entwickelt werden, wenn Lernende in Gruppen arbeiten. Vielmehr müssen die

Teamfähigkeit

Zusammenarbeit und das Lernen in Gruppen reflektiert angeleitet und geübt werden, damit konstruktive Arbeitsprozesse und wertvolle Ergebnisse erzielt werden können. Ohne eine solche Vorbereitung besteht die Gefahr, dass sich ungünstige gruppendynamische Einflüsse oder die mangelnde Methodenkompetenz sowohl negativ auf die Qualität der Problemlösungen als auch auf die Motivation der Lernenden, POL durchzuführen, auswirken.

Lernvoraussetzungen Beim Einsatz von POL insbesondere in pflegebezogenen Ausbildungsprozessen wird darüber hinaus häufig unterschätzt, dass der Einsatz z. B. der Methode 7-Sprung Lernvoraussetzungen erfordert, die bei den Lernern häufig erst entwickelt werden müssen. Hierin können unter anderem Gründe liegen, warum POL als Verfahren in der Ausbildung häufig als zu komplex und deshalb nicht geeignet erachtet wird. Deshalb wird an dieser Stelle auf methodische Kompetenzen hingewiesen, die Lernende für eine gelingende Fallarbeit mit POL mitbringen sollten. Neben grundlegenden Fähigkeiten zur konstruktiven Arbeit in Gruppen sollten die Lernenden Folgendes können:

- Mitschriften und Protokolle anfertigen
- Texte selbstständig lesen und bearbeiten
- Wichtiges von Unwichtigem trennen
- Eigenes Lernen selbstständig strukturieren
- Literatur- und Internetrecherchen durchführen
- Gruppengespräche moderieren
- Gruppenergebnisse präsentieren

Diese Lernvoraussetzungen können zu Beginn der Ausbildung in der Regel nicht von allen Lernenden in vollem Umfang erwartet werden. Sie müssen deshalb sukzessive und systematisch entwickelt werden, damit POL mit langsam steigender Komplexität der Problemstellungen auch in der pflegerischen Grundausbildung erfolgreich eingesetzt werden kann.

POL stellt jedoch auch an Lehrende besondere Anforderungen hinsichtlich ihrer Rolle und Verantwortung im Lernprozess. Worin diese bestehen wird in Kapitel 3.4.2 genauer erläutert.

3.4 Fallstudienarbeit nach Kaiser (ein komplizierter Fall)

Nach Kaiser (1983, S. 21) beschreibt ein Fall die möglichst realitätsnahe Problemsituation, mit der ein oder mehrere professionell Tätige tatsächlich konfrontiert wurden, zusammen mit den dazugehörigen Fakten, Meinungen und Erwartungen, die die Entscheidungssituation determinieren. Vor diesem Hintergrund ist es die Aufgabe der Lernenden, Lösungsansätze, Lösungsstrategien und Lösungsergebnisse zu entwickeln und zur Diskussion zu stellen. Sie lernen dabei, »wie man Probleme analysiert, Informationen sammelt und auswertet, Fakten analysiert, alternative Lösungsvarianten entwickelt und Entscheidungen findet« (ebd., S. 21).

Je nach der didaktischen Schwerpunktsetzung im jeweiligen Lehr-Lern-Prozess werden von Kaiser vier Fallvarianten unterschieden (vgl. Kaiser, 1983, S. 23):

Fallvarianten

- **Case-Incident-Methode**
  Die Falldarstellung ist unvollständig und lückenhaft, es fehlen wichtige Informationen, die von den Schülern recherchiert und bewertet werden müssen.
  → Übungen zur Informationssammlung und zur Bewertung von Informationen
- **Case-Study-Methode (Harvard-Methode)**
  Eine Fallbeschreibung bietet Informationen über eine Problemsituation, die analysiert und mithilfe begründeter Lösungsansätze bearbeitet werden soll.
  → Übung zur Problemanalyse sowie zur Entwicklung von Lösungsvarianten und Lösungsentscheidungen
- **Case-Problem-Methode**
  In dieser Fallvariante werden Informationen über die Problemlage und Problemanalyse bereits vorgegeben. Der didaktische Schwerpunkt liegt auf der Entwicklung von Lösungsansätzen und der Begründung von Entscheidungen.
  → Übung zur Entwicklung von Lösungswegen und zur Entscheidungsbegründungen
- **Stated-Problem-Methode**
  Die Fallschilderung beinhaltet in dieser Variante fertige Lösungen und Entscheidungen mit den dazugehörigen Begründungen. Diese sollen von den Schülerinnen kritisch bewertet werden.
  → Übung zur kritischen Bewertung von Problemlösungen und zur Erarbeitung von Lösungsalternativen

Obwohl die Fallstudienarbeit von Kaiser für den Einsatz im kaufmännischen Berufsschulunterricht fachdidaktisch begründet wird, leitet sich die Relevanz dieser Methode für pflegebezogene Bildungsprozesse aus ihrer zentralen Zieldimension der Entwicklung von Problemlösungs- und Entscheidungskompetenz ab.

Bezug zum Pflegeprozess

Hundenborn (2007) greift deshalb die Systematik der oben beschriebenen Fallvarianten auf und ordnet sie den Schritten des Problemlösungsprozesses zu. Hierdurch stellt sie die Analogie zum Pflegeprozess heraus und bietet gleichzeitig eine Grundlage zur Analyse der didaktischen Schwerpunktsetzung im Rahmen pflegepädagogischer Lernprozesse. Diese Schwerpunkte werden in der folgenden Matrix durch die gekennzeichneten Felder identifiziert (▶ **Abb. 3.4**).

	Informations-gewinnung und -bewertung	Problem-erkennung/ Problemanalyse	Lösungsvarianten/ Lösungsentscheidung	Lösungskritik
Case-Incident-Methode				
Case-Study-Methode				
Case-Problem-Methode				
Stated-Problem-Methode				

Abb. 3.4:
Analysematrix zur Fallauswahl (vgl. Hundenborn, 2007, S. 69)

3.4.1 Fallstudienarbeit nach Kaiser im Unterricht

Das im Kapitel 3.2 vorgestellte Fallbeispiel kann durch wenige Veränderungen von einem Routinefall zu einem komplizierten Fall werden, wenn unvorhergesehene Probleme auftreten, die zusätzliches Fachwissen erfordern.

Fallerweiterung: Bennos Bauch und der Alkohol
… In Ihrer Spätschicht sind Sie für die Pflege von Benno zuständig und holen ihn gegen 17:30 Uhr aus der Anästhesieabteilung ab. Er ist wach und ansprechbar. »War's das jetzt?«, fragt er Sie.

»Na klar, alles prima verlaufen!«, antworten Sie und erkundigen sich, ob er Schmerzen hat. »… sind aushaltbar …«, sagt er und schläft wieder ein. Zunächst verläuft die postoperative Überwachung gemäß der Anordnung der Anästhesistin komplikationslos. Auch die Kontrolle des Wundverbands, der Drainagen und der Infusion zeigt keine Probleme. Im Laufe der Spätschicht fällt Ihnen jedoch auf, dass Benno häufig klingelt. Er macht einen zunehmend unruhigen Eindruck und weiß manchmal nicht mehr, warum er geklingelt hat. Seine Puls- und Blutdruckwerte steigen an und er schwitzt stark. Nachdem Sie die Anästhesistin über diese neue Situation telefonisch informiert haben, kommt Ihnen Benno auf dem Gang entgegen. Er hat Schuhe und Jacke über dem OP-Hemd an. Er blutet an der Hand, aus der er sich den venösen Zugang entfernt hat. Sie sind sehr erschrocken und versuchen ihn ins Zimmer zurück zu geleiten. Benno will aber nicht mitgehen. Er schaut Sie böse an und ruft aufgeregt: »Ihr könnt mich gar nicht hier einsperren! Ich habe einen Kumpel, der holt mich jetzt ab!« Zum Glück kommt gerade die Anästhesistin hinzu. Sie befürchten, dass Benno ein Alkoholentzugssyndrom entwickelt hat.

60

Diese neue Situation erfordert zu ihrer kompetenten Bewältigung weiteres Fachwissen. Seine Lösung muss deshalb die folgenden weiteren Aspekte berücksichtigen.

Kenntnisse der Gesundheits- und Krankenpflege bzw. der Gesundheits- und Pflegewissenschaft:

- Pflege bei Kommunikations- und Wahrnehmungsstörungen
- Pflege bei Alkoholentzugsdelir
- Fehlende Kooperationsbereitschaft
- Selbst- und fremdgefährdendes Verhalten

Pflegerelevante Kenntnisse der Naturwissenschaften und der Medizin:

- Suchtentstehung
- Formen des Alkoholismus
- Prävention, Therapie und Rehabilitation des Alkoholismus
- Alkoholentzugssyndrom

Pflegerelevante Kenntnisse der Geistes- und Sozialwissenschaften:

- Kulturelle Verankerung des Alkoholgenusses
- Alkoholismus als Volkskrankheit, Jugendalkoholismus
- Soziale Folgen von Suchterkrankungen

Pflegerelevante Kenntnisse aus Recht, Politik und Wirtschaft:

- Freiheitsentziehende Maßnahmen, Zwangsmaßnahmen

Die Fallstudienmethode nach Kaiser folgt einem Verlauf des Lernprozesses in sechs Phasen. Hierdurch soll die Struktur eines Entscheidungsprozesses simuliert werden, um sowohl die Entscheidungsfähigkeit als auch die Entscheidungsbereitschaft der Lernenden zu entwickeln und zu fördern. Die Sozialformen des Unterrichts wechseln dabei zwischen der Arbeit in Gruppen von 4–6 Lernenden und Phasen im Plenum.

Phasen der Fallarbeit nach Kaiser

1. *Konfrontation* mit dem Fall,
2. *Information* über das bereitgestellte Fallmaterial, selbstständige Erschließung von Informationsquellen,
3. *Exploration* alternativer Lösungsmöglichkeiten,
4. *Resolution*: Treffen der Entscheidung in Gruppen,
5. *Disputation*: Die einzelnen Gruppen verteidigen ihre Entscheidung,
6. *Kollation*: Vergleich der Gruppenlösungen mit der in der Wirklichkeit getroffenen Entscheidung.

Phasen der Fallarbeit

Phase 1: Konfrontation mit dem Fall

Am Beginn der Fallarbeit steht die Erfassung der dargestellten Problem- und Entscheidungssituation. Damit ist nicht nur gemeint, dass die Fallbeschreibung als Text verstanden werden soll. Vielmehr steht seine Analyse hinsichtlich der aktuellen und zukünftigen Bedeutung des Fallgeschehens im Zentrum der Überlegungen. Neben der Problem- und Situationsanalyse erfolgt eine Norm- und Zielanalyse, die den Lernenden schon in dieser Phase verdeutlicht, dass die Entscheidungsfindung unter anderem von den Wert- und Zielvorstellungen der beteiligten Personen gesteuert wird.

Bezogen auf den Fall »Bennos Bauch und der Alkohol« bietet sich beispielsweise eine Reflexion darüber an, welche Bedeutung die geschilderte Situation für aktuelles und zukünftiges berufliches Handeln hat. Hierzu können Praxiserfahrungen mit dem Alkoholentzugssyndrom aus unterschiedlichen pflegerischen Kontexten nutzbar gemacht werden. In Abhängigkeit vom Klassenklima können darüber hinaus Erfahrungen aus dem privaten, sozialen Umfeld herangezogen werden, um das Thema Jugendalkoholismus in den Blick zu rücken. Einstellungen und Vorurteile sollten ebenso thematisiert werden wie daraus abgeleitete Hypothesen über einen möglichen Verlauf des Falls, damit eine Weiterentwicklung der subjektiven Theorien der Lernenden ermöglicht wird (vgl. Schwarz-Govaers, 2010, S. 166 ff.). Eine Grundbedingung für einen solchen reflektierenden Austausch ist allerdings eine offene und wertschätzende Gesprächskultur innerhalb der Lerngruppe und zwischen Lehrenden und Lernenden, die ohne Angst vor Repressalien oder Diskriminierung möglich sein muss. Eine solche Kommunikationskultur muss in vielen Lerngruppen erst erzeugt werden, damit ein konstruktiver, offener Austausch möglich wird. Es ist die Aufgabe der Lehrenden, solche Entwicklungsbedarfe zu identifizieren und geeignete Lernprozesse zu initiieren. Hierfür steht ein bunter Strauß an Methoden zur Verfügung, auf die an dieser Stelle allerdings nicht im Einzelnen eingegangen werden kann. Für Interessierte sei deshalb auf die folgende Literatur verwiesen:

Zum Weiterlesen | Langmaak, B., Braune-Krickau, M. (2010): Wie die Gruppe laufen lernt. Weinheim: Beltz.
Klippert, H. (2012): Kommunikations-Training. Weinheim: Beltz.

Zur verbalen Reflexion von Wert –und Zielvorstellung über die im Fall geschilderte Situation kann eine Diskussion in Kleingruppen angeregt werden, deren Ergebnisse jeweils auf Wandzeitungen dokumentiert und veröffentlicht wird. Dabei ist darauf zu achten, dass Diskussionsimpulse in die Gruppen gegeben werden, die einen echten und lebendigen Austausch bewirken. So könnten z. B. die durchaus provokanten folgenden Thesen diskutiert werden:

Diskussionsimpulse zu »Bennos Bauch und der Alkohol«

»Um dem Problem des Jugendalkoholismus zu begegnen, sollte es ein Alkoholverbot in Clubs geben.«
oder
»Die Kosten für alkoholbedingte Krankheitsprobleme sollten von den Krankenkassen nicht übernommen werden.«

Die Präsentation der jeweiligen Gruppenergebnisse auf Wandzeitungen kann insofern interessant sein, als sie ein Spektrum der vorhandenen Meinungen und Werthaltungen in der Lerngruppe abbildet. Die Wandzeitungen können darüber hinaus am Ende der gesamten Fallbearbeitung Aufschluss darüber geben, ob und inwiefern ein eventueller Wandel von Werthaltungen stattgefunden hat. Die Erreichung möglicher affektiver Lehr-/Lernziele könnte auf diese Weise evaluiert werden.

Sollen die Gruppendiskurse allerdings ins Plenum ausgeweitet werden, damit möglichst viele Perspektiven ausgetauscht werden können, eignet sich die Fishbowl-Methode (▶ Abb. 3.5).

Fishbowl-Methode

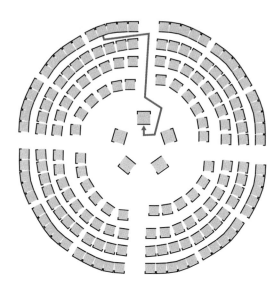

Abb. 3.5:
Fishbowl

Ein Sprecher aus jeder Kleingruppe (3–5) wird gebeten, in einem inneren Stuhlkreis Platz zu nehmen, während die restlichen Lernenden im Außenkreis sitzen. Zwei zusätzliche Stühle werden in den Innenkreis gestellt. Einer davon bleibt frei, der andere ist für den Moderator bestimmt. Die Gruppensprecherinnen stellen nun die Ergebnisse bzw. Standpunkte aus

63

den Kleingruppen vor und treten in eine Diskussion ein, bei der ein möglichst sachlicher Austausch stattfinden soll. Sobald ein Mitglied des Auditoriums einen Diskussionsbeitrag leisten möchte, kann es den freien Platz im Fishbowl besetzen und sich an der Debatte beteiligen. Um der Gefahr eines Streitgesprächs entgegen zu wirken, sollte die Lehrperson die Moderation übernehmen und die Einhaltung zuvor vereinbarter Kommunikationsregeln überwachen. In gut geübten Lerngruppen kann diese Funktion auch von einem Lernenden übernommen werden. Die Debatte im Fishbowl kann 15–20 Minuten dauern. Grundsätzlich dient diese Methode neben der Darstellung und dem Austausch inhaltlicher Standpunkte auch der Entwicklung einer Diskussionskultur, die durch Selbstbestimmtheit, Toleranz und Wertschätzung geprägt ist. Sie birgt allerdings die Gefahr, dass die Debatte destruktiv ausufert, weshalb eine gute Vorbereitung hinsichtlich der Verfahrensregeln und eine konsequente Moderation von besonderer Bedeutung sind. Eine weitere Gefahr liegt darin, dass keine echte Diskussion in Gang kommt. Die Ursache hierfür kann in einem Diskussionsimpuls liegen, der die Lernenden über- oder unterfordert bzw. nicht wirklich interessiert. Darüber hinaus können Hindernisse aus offenen oder verdeckten Lerngruppenkonflikten resultieren, die keinen offenen Austausch zulassen. Letztlich kann die Debatte dadurch gestört sein, dass die Lernenden im Innenkreis zu leise sprechen und deshalb nicht von den außen Sitzenden verstanden werden. Generell gehören Mut und Entschlossenheit dazu, sich aktiv in den Innenkreis zu begeben, um einen Standpunkt zu äußern. Eher zurückhaltende Lernende können diese Fähigkeit im Rahmen der Fishbowl-Methode jedoch einüben (vgl. Knoll, 2007, S. 185 ff.).

Phase 2: Information über das bereitgestellte Fallmaterial, selbstständige Erschließung von Informationsquellen

Siehe hierzu die Ausführungen zum selbstständigen Studium im Rahmen der Methode 7-Sprung in Kapitel 3.3.1.

Phase 3: Exploration alternativer Lösungsmöglichkeiten

Ziel der dritten Phase ist es, das Denken in Alternativen zu schulen. Dieser Schritt der Fallarbeit könnte mit dem Motto überschrieben werden: »Wenn du es eilig hast, mache einen Umweg!« (Sprichwort aus Asien), denn die Fokussierung einer »einzig richtigen Falllösung« muss zunächst zugunsten der Entwicklung von Auswahlmöglichkeiten verlassen werden. Es geht darum, möglichst viele unterschiedliche Lösungsansätze zu generieren und auch solche in die Ideensammlung aufzunehmen, die auf den ersten Blick nicht zielführend erscheinen. Die Exploration dient somit in erster Linie dazu, die Lernenden dazu zu befähigen, stets mehrere Lösungen ins Auge zu fassen und sich von eindimensionalem Denken zu lösen.

Eine Bedingung für einen solchen kreativen Ansatz der Lösungssuche ist allerdings, dass sich die Lernenden zunächst auf eine bewertungsfreie Akzeptanz aller geäußerten Ideen einlassen. Besonders hilfreich ist hierbei der Einsatz von Assoziationsmethoden wie das Brainstorming. Daraus abgeleitete Formen sind das Brainwriting, das imaginäre Brainstorming und das destruktiv-konstruktive Brainstorming (Wack et al., 1998, S. 39 ff.).

Exemplarisch wird im Folgenden das Brainstorming als Methode der Fallexploration vorgestellt. Die optimale Gruppengröße liegt zwischen sechs und zwölf Teilnehmern, es können jedoch auch in einer größeren Gruppe gute Ergebnisse erzielt werden. Ausgehend von der Identifikation eines konkreten Problems geht es um die Nennung von möglichst vielen Einfällen und Vorschlägen.

Brainstorming

Bezogen auf den oben beschriebenen Fall können pflegerelevante Probleme hinsichtlich der Gestaltung der Pflegekraft-Patienten-Beziehung und des geeigneten Beratungsansatzes in den Fokus rücken (Scheffler et al. 2000, S. 1297 ff.). Der Impuls für ein Brainstorming könnte somit beispielsweise lauten: »Im Umgang mit Benno ist jetzt besonders wichtig, dass ...«.

Im Verlauf der nun folgenden Sammlung regen sich die Teilnehmenden durch die geäußerten Vorschläge gegenseitig zu immer weiteren Ideen an. Etwas übungs- und gewöhnungsbedürftig ist in diesem Zusammenhang, dass es zunächst nicht um die Qualität, sondern um die Quantität der Vorschläge geht. Der Phantasie sollen keine Grenzen gesetzt sein. Die Dauer des Brainstormings beträgt 15–20 Minuten, richtet sich jedoch vor allem nach dem Ideenfluss. Erfahrungsgemäß sprudeln die Vorschläge zu Beginn des Prozesses reichhaltig und spontan, da zunächst die naheliegenden Lösungsansätze in den Sinn kommen. Nach und nach ebbt der Gedankenstrom etwas ab und die Äußerung von Ideen wirkt schleppender. Hier sollte der Prozess noch nicht abgebrochen werden, da gerade in dieser Phase wertvolle und originelle Ansätze entstehen und vorgebracht werden können. Die gesammelten Ideen werden auf Moderationskarten stichwortartig gesammelt und dadurch zur weiteren Bearbeitung dokumentiert.

Spätestens in der Explorationsphase der Fallarbeit wird deutlich, dass das ideengenerierende Potenzial einer Gruppe höher sein kann, als das einer einzelnen Person. Es kann sich jedoch erst voll entfalten, wenn grundsätzliche Regeln kreativer Gruppenarbeit berücksichtigt werden. Wack, Detlinger und Grothoff (1998) heben die folgenden Regeln hervor:

Regeln kreativer Gruppenarbeit

- *Quantität geht vor Qualität, denn* je mehr Ideen gefunden werden, desto größer ist die Chance, dass eine oder mehrere wertvolle Anregungen darunter sind.
- *Alles ist erlaubt, denn* auch zunächst »unsinnig« erscheinende Vorschläge können inspirierend auf die am Brainstorming Beteiligten wirken oder wichtige Impulse für den anschließenden Bewertungsprozess geben. Insofern ist es keine Blamage für einen Lernenden, solche Ideen zu äußern.

- *Es gibt kein geistiges Eigentum, denn* die geäußerten Ideen provozieren kreative Denkprozesse bei allen beteiligten Gruppenmitgliedern. Diese wechselseitige Beeinflussung ruft Ergebnisse hervor, die von einem einzelnen Gruppenmitglied nicht hätten erzeugt werden können.
- *Trenne die Ideensuche von der Ideenkritik, denn* die sofortige Bewertung einer Idee unterbricht und hemmt den Ideenfluss der Gruppenmitglieder. Wenn nur solche Ideen geäußert werden, die vordergründig »vernünftig« erscheinen, fallen viele andere unter den Tisch.
- *Einfälle nicht zerreden, denn* Kommentare stoppen den Ideenfluss. Die Beiträge werden lediglich so wortgetreu wie möglich dokumentiert. Besonders zu vermeiden sind sogenannte Killerphrasen wie z. B.
  - »Daraus wird nie etwas!«
  - »Das haben wir schon alles versucht!«
  - »Das geht nicht, weil …«
- *Halte den formalen Rahmen ein, denn* kreative Prozesse benötigen geeignete Rahmenbedingungen. Obwohl kreative Prozesse häufig im Widerspruch zu geregelten Abläufen gesehen werden, ist die Chance, einen ungewöhnlichen Lösungsansatz für ein Problem zu finden, in Wirklichkeit umso größer, je klarer der formale Rahmen des Entstehungsprozesses eingehalten wird (ebd., S. 22 f.).

Die Verantwortung für den formalen Rahmen und damit für die Einhaltung der Regeln obliegt dem Lehrenden, der in der Moderationsfunktion selbst von der Ideensammlung ausgeschlossen ist.

Aus der Perspektive der Entwicklung von Methodenkompetenz fördern die vorgestellten Unterrichtsverfahren neben einer kreativen Problemlösungshaltung auch die Anwendung von Moderationsmethoden.

Phase 4: Resolution, Entscheidungsfindung in Gruppen

Ziel der vierten Phase ist die Gegenüberstellung und Bewertung von Lösungsvarianten. Lernende, aber auch fortgeschrittene Berufsangehörige neigen dazu, Lösungsvorschläge schnell als abwegig zu beurteilen. Dieser Tendenz kann man vorbeugen, indem die verschiedenen Varianten zunächst einer genaueren Analyse unterzogen werden. Dabei eröffnet die Dokumentation der Ideen auf Moderationskarten Möglichkeiten der Visualisierung, die flexible Zuordnungen zu verschiedenen Kategorien erlauben.

Bewertung von Lösungsvarianten

Kaiser (1983, S. 27 ff.) empfiehlt, zunächst jede vorgeschlagene Lösungsvariante hinsichtlich ihrer Vorteile, Nachteile und Konsequenzen zu untersuchen und zu diskutieren (▶ **Abb. 3.6**).

	Vorteile	Nachteile	Konsequenzen
Variante 1			
Variante 2			
Variante 3			

Abb. 3.6: Analyseraster zur Bewertung von Lösungsvarianten (vgl. Kaiser, 1983, S. 27)

Diese Form der vergleichenden Gegenüberstellung erleichtert die Identifikation von positiven und negativen Aspekten einer jeweiligen Lösungsvariante, so dass der Fokus der weiteren Analyse auf die positiven gerichtet werden kann. Diese können in einem zweiten Schritt hinsichtlich verschiedener Kriterien wie z. B. Patientenorientierung, Pflegequalität sowie organisatorische oder medizinische Bedingungen auf ihre Durchführbarkeit hin überprüft werden. Hierdurch wird eine Grundlage geschaffen, auf der Entscheidungen über konkrete pflegerische Handlungsstrategien getroffen werden können. Sie sollten in einem vierten abschließenden Schritt schriftlich begründet werden, um die Ergebnisse zu sichern und zu präzisieren.

Phase 5: Disputation

Die bisher in Kleingruppen erarbeiteten Lösungen werden in der fünften Phase im Plenum zur Diskussion gestellt und verteidigt. Obwohl die einzelnen Kleingruppen hierbei als Gegenspieler auftreten, geht es um den Austausch sachlicher Argumente mit dem Ziel, eine gemeinsame Lösung zu finden. Ins Zentrum rückt nun die kritische Überprüfung der Argumente hinsichtlich deren Belastbarkeit. In diesem Zusammenhang bietet sich außerdem eine Gelegenheit, die Lösungen hinsichtlich ihrer Vollständigkeit zu überprüfen. Zur Ergebnispräsentation können die Kleingruppen Wandzeitungen anfertigen, die in Form eines Ideenmarkts ausgestellt und anschließend im Rahmen einer Podiumsdiskussion verteidigt werden. Auch die oben beschriebene Fishbowl-Methode kann hier erneut eingesetzt werden.

Durch das strukturierte Vorgehen in den beschriebenen Phasen kann verhindert werden, dass die Entscheidungsfindung in Kleingruppen und im Plenum von internem Konkurrenzverhalten geprägt ist. Vielmehr werden die Lernenden dazu befähigt, differenzierte, gut begründete Entscheidungen im Team auf einer sachlich-fachlichen Ebene zu treffen, deren Qualität am reflektierten Fallverständnis zu messen ist. So kann ein intersubjektiver Entscheidungsrahmen entstehen, der die berufsbezogene Haltung der Lernenden im Sinne einer professionellen, patientenorientierten Pflege fördert (vgl. Wittneben, 2003). **Vermeiden von Konkurrenzverhalten** **Berufsbezogene Haltung**

Das Gelingen der Falldiskussion hängt maßgeblich von der Fähigkeit der Lehrperson ab, sich zurückzunehmen. Nur so kann verhindert werden, dass der interaktive Lösungs- und Entscheidungsprozess der Lernenden durch die Fachautorität des Lehrenden behindert bzw. blockiert wird. Die Kunst der Falldiskussion besteht nach Tedesco (1983) darin, einen geeigneten Kontext zu schaffen:

»Die Rolle des Lehrers ist der eines Eisbergs vergleichbar. Für die Klasse ist nur ein kleiner Teil der Bemühungen sichtbar – verdeckt liegen intensive Vorbereitungen und ein sorgfältig geplanter Rahmen für die Diskussion. Je mehr dieser Rahmen aufgedeckt und je mehr Autorität eingesetzt werden muß, um Schülerfragen anzuregen, umso weniger erfolgreich verläuft die Falldiskussion« (Tedesco, 1983, S. 123).

Rolle des Lehrenden Zur Förderung des schülerorientierten Austauschs empfiehlt der Autor das folgende Verhalten des Lehrenden in der Rolle des Diskussionsleiters:

- Verwenden Sie präzise Formulierungen.
  Verallgemeinerungen, Abstraktionen sowie vage Andeutungen sollten zugunsten klar verständlicher Aussagen vermieden werden.
- Sorgen Sie für Kontinuität – beachten Sie Ihre Zeiteinteilung.
  Achten Sie z. B. darauf, dass die Zeitvorgabe für jede Gruppenpräsentation eingehalten wird und dass einzelne Diskussionsbeiträge nicht zu lang geraten.
- Formulieren Sie Fragen mit deutlichem Ziel.
  Z. B.: »Welche zusätzlichen Kriterien könnten eine Entscheidung zwischen Lösungsansatz A und B herbeiführen?«
- Individualisieren Sie Fragen.
  Z. B.: »Welches konkrete Vorgehen schlagen die Mitglieder der Gruppe X zur Kontaktaufnahme mit einer ortsansässigen Selbsthilfegruppe vor?«
- Delegieren Sie Fragen.
  Z. B. »Ist Ihnen bei der Vorstellung der Lösungsansätze von Gruppe X klar geworden, welche Vor- und Nachteile jeweils resultieren können oder müssen noch weitere Fragen gestellt werden?«
- Beleuchten Sie Antworten der Schüler.
  Z. B. »Dieser Lösungsansatz bezieht Experten mit ein, die bisher noch nicht vorgeschlagen wurden.«
- Bekräftigen Sie Schülerfragen.
  Z. B. »Diese Frage zielt auf einen neuen wichtigen Aspekt ab.«
- Untersuchen Sie unvollständige Antworten.
  Z. B. »Dieses Vorgehen bezieht sich auf kurzfristige Ziele. Welche langfristigen Auswirkungen könnte diese Entscheidung für Benno haben?«
- Stimulieren Sie kreatives Denken.
  Z. B. »Wie könnte die Palette der Vorschläge für Benno noch erweitert werden?«

Am Ende einer Falldiskussion sollten die wesentlichen Ergebnisse visualisiert werden. Dafür können Tafel, Overheadprojektor oder Moderationstechniken genutzt werden. Durch eine solche Ergebnisdokumentation wird zum einen deutlich, welchen Verlauf die Debatte genommen hat. Zum anderen wird den Lernenden bildlich vor Augen geführt, für welche Prozesse die investierte Unterrichtszeit verwendet wurde (vgl. ebd., S. 127).

Phase 6: Kollation

Die sechste und letzte Phase dient der Überprüfung der erarbeiteten Ergebnisse hinsichtlich ihrer Übertragbarkeit in die pflegeberufliche Handlungspraxis. Ein Abgleich mit Durchführbarkeitserwägungen fördert die Unterscheidung zwischen Lösungsansätzen, die im schulischen Kontext erarbeitet werden und solchen, die unter realen Bedingungen in der Interaktion mit echten Patienten und Kollegen umsetzbar sind. Somit wird für die Lernenden erfahrbar, welche Passungsprobleme durch die Komplexität der Interessenzusammenhänge in der Realität auftreten, wenn die erarbeiteten Lösungsansätze umgesetzt werden sollen. Laut Kaiser lässt sich so ein Bewusstsein dafür entwickeln, dass Lösungen und Entscheidungen jeweils nur eine bestimmte kontextabhängige Reichweite haben und jeweils situationsbezogen flexibel betrachtet und gegebenenfalls modifiziert werden müssen (vgl. Kaiser, 1983, S. 25–29). Der schulische bzw. theoriebasierte Lösungsrahmen muss in dieser Phase an der praktischen Umsetzbarkeit gemessen werden. Somit kann ein Verständnis dafür entstehen, welche Bedeutung der theoretischen Auseinandersetzung als Vorbereitung auf das praktische berufliche Handeln zukommt und welche wechselseitigen Legitimationsprozesse kompetentes berufliches Handeln fundieren.

Ein mögliches Unterrichtsverfahren zur Kollation der Ergebnisse bietet die *Expertenbefragung*. Hier müssen zunächst Fachleute für die Falllösungsansätze der Lernenden gefunden werden. Damit eine Überprüfung der Praktikabilität und Durchführbarkeit gelingen kann, sollen diese nicht nur theoretisch kompetent sein, sondern auch über Expertise in Umsetzungs- bzw. Anwendungssituationen verfügen. In Bezug auf die hier beschriebene Fallsituation und unter dem didaktischen Fokus der pflegerischen Beziehungsgestaltung kommen unterschiedliche Personen als Experten in Frage. Interessant wären beispielsweise die Praxiserfahrungen von Mitarbeitern des sozial-psychiatrischen Dienstes eines Krankenhauses oder von Mitarbeitern einer Suchthilfeeinrichtung, von erfahrenen Pflegekräften oder von Mitgliedern von Selbsthilfegruppen Alkoholabhängiger. Ertragreich ist ein solcher Austausch vor allem, wenn er gut vorbereitet und strukturiert durchgeführt wird. Mattes (2002) empfiehlt deshalb die Berücksichtigung der folgenden fünf Schritte:

Experten finden und auswählen

Durch die Auswahl des Experten rückt eine spezifische Perspektive auf die Falllösung näher in den Blick. Insofern ist ein zentrales Kriterium für deren Eignung von den offenen Machbarkeitsfragen der Falllösung abhängig.

Themen für die Befragung aufbereiten und Fragen formulieren

Damit die Expertise der ausgewählten Fachleute zugänglich, gut verständlich und nutzbar wird, müssen die entwickelten Lösungsansätze der Lernenden zunächst so aufbereitet werden, dass sie den jeweiligen Experten erklärt werden können. Dies erfordert von den Lernenden insofern didaktisches Geschick, als sie ihre Ergebnisse Außenstehenden erklären müssen, die bisher nicht am Falllösungsprozess beteiligt waren. Im Rahmen der Gestaltung einer eventuellen Präsentation können die Medienkompetenz und das rhetorische Geschick der Lernenden gefördert bzw. weiterentwickelt werden. Zur Ableitung und präzisen Formulierung konkreter Fragestellungen empfiehlt es sich darum, vorab mit den Lernenden zu klären, welche Ziele mit der Expertenbefragung verfolgt werden sollen und wie die Ergebnisse im Idealfall aussehen könnten.

Expertenbefragung

Auswahl des Experten

Vorbereitung der Fragen

Vorbereitung der
Befragung

Durchführung der Expertenbefragung vorbereiten

Für den konkreten Befragungstermin sollten die folgenden organisatorischen Aspekte bedacht werden:

- Schulleitung informieren
- Raumfrage klären
- Experten einladen, Termine und Themen absprechen
- Diskussionsleitung bestimmen
- Protokollanten benennen, evtl. mit Fotodokumentation
- Kleine Anerkennung als Dank für die Gäste organisieren

Durchführung der
Befragung

Durchführung der Expertenbefragung

Zur Einstimmung auf den Befragungstermin sollten die Lernenden darauf aufmerksam gemacht werden, dass die Bereitschaft der Experten Zeit und Mühe für ihre Fragen zu investieren, nicht selbstverständlich ist. Es liegt damit in der Verantwortung aller Beteiligten, eine wertschätzende Gesprächsatmosphäre zu fördern. Für einen guten Verlauf der Expertenbefragung ist der folgende Ablauf günstig:

- Begrüßung der Experten am Schuleingang durch den Lehrenden, die Klassenvertretung und die Diskussionsleitung,
- Vorstellungsrunde der Experten,
- Präsentation der Falllösungen und Fragerunde,
- Verabschiedung und Dank an die Experten.

Ergebnisse der
Expertenbefragung

Ergebnisse auswerten und dokumentieren

Abschließend wird der inhaltliche Ertrag der Expertenbefragung daraufhin überprüft, ob alle Fragen geklärt werden konnten und wie die praktische Umsetzbarkeit der erarbeiteten Lösungsansätze zu bewerten ist.

Expertenbefragung

Expertenbefragung

- Experten finden und auswählen
- Themen für die Befragung aufbereiten und Fragen formulieren
- Durchführung der Expertenbefragung vorbereiten
- Durchführung der Expertenberatung
- Ergebnisse auswerten und dokumentieren

Zur Weiterentwicklung der Methodenkompetenz der Lernenden (und der eigenen Methodenkompetenz) empfiehlt es sich darüber hinaus, das strategisch-methodische Vorgehen kritisch zu hinterfragen, indem gelungene und verbesserungswürdige Aspekte identifiziert und bewertet werden (vgl. Mattes, 2002, S. 119).

Der Überblick über die Fallbearbeitung nach Kaiser zeigt, dass diese Methode eine Vielfalt an Lern- und Entwicklungspotenzialen bietet, jedoch auch relativ zeitaufwendig ist. Eine kontinuierliche Fallbearbeitung ohne Unterbrechungen ist wahrscheinlich nur selten im Stundenplan unterzubringen. Deshalb müssen die einzelnen Phasen gegebenenfalls zu unterschiedlichen Zeitpunkten eingeplant werden. Eine Übersicht über den Wechsel der Sozialformen im Laufe der Fallbearbeitung kann eine Entscheidungshilfe bei der Rhythmisierung des Unterrichts sein.

Phase		Sozialform
I.	Konfrontation	Plenum
II.	Information	Kleingruppen
III.	Exploration	Kleingruppen
IV.	Resolution	Kleingruppen
V.	Disputation	Plenum
VI.	Kollation	Plenum

Tab. 3.3:
Phasen und Sozialformen der Fallarbeit nach Kaiser (vgl. Kaiser/Kaminski, 1999, S.141)

3.4.2 Rolle und Verantwortung der Lehrenden

Sowohl im Rahmen des problemorientierten Lernens als auch bei der Fallarbeit nach Kaiser übernehmen Lehrende eine völlig andere Rolle als in klassischen lehrerzentrierten Unterrichtsverfahren wie z.B. dem Lehrervortrag oder dem Lehrer-Schüler-Gespräch. Das von Darmann-Finck (2006) identifizierte Problem der überwiegenden Regelorientierung als vorherrschendes Bildungskonzept im pflegeberuflichen Unterricht legt den Verdacht nahe, dass fallorientierte Methoden selten zum Einsatz kommen. Pflegedidaktisch repräsentative und aussagefähige Befunde zu vorherrschenden Interaktions- und Verfahrensformen des Unterrichts stehen zwar noch aus. Dennoch kann auf der Basis der vorhandenen Befunde gemutmaßt werden, dass sich Lehrende eher in der Rolle der Wissensvermittler sehen.

Die Unterstützung von Gruppenprozessen im Rahmen fallbasierter Methoden erfordert jedoch eher aktive Lernhelfer, die durch die angebotenen Themen, Lernstrukturen und Interventionen die Gruppe bei der Lösung ihrer Aufgaben fördern und die Arbeitsfähigkeit der Gruppe unterstützen. Insofern kommt dem Lehrenden die Rolle des Experten zu, die von den Lernenden als eine von mehreren Informationsquellen genutzt werden kann. Somit liegt dessen Verantwortungsschwerpunkt in der Steuerung konstruktiver, ergebnisorientierter Gruppenprozesse, der sich nach Langmaak/Braune-Krickau (2000, S.126) wie folgt gliedern lässt:

Der Lehrende

- unterstützt die Gruppen bei der Klärung und Erreichung ihrer Ziele,
- befähigt die Gruppen zu einer konstruktiven Arbeitsweise,

Die Rolle des Lehrenden

71

- führt, wenn nötig, transparente Konfliktlösungen herbei,
- fördert eine offene Interaktions- und Kommunikationsweise,
- fördert die Überprüfung der Arbeitsergebnisse an der Handlungs-realität,
- schützt einzelne Gruppenmitglieder vor destruktiven gruppendyna-mischen Einflüssen und
- achtet auf den Schutz der eigenen Bedürfnisse, Fähigkeiten und Grenzen.

3.4.3 Umgang mit Widerständen

Die Erfahrung mit Gruppenunterricht zeigt, dass trotz sorgfältiger Pla-nung und situativ abgestimmter Unterstützung der Lernprozesse Wi-derstände bei den Lernenden auftreten können, die den Lernerfolg ein-schränken oder sogar verhindern können. Solche Widerstände zeigen sich beispielsweise in passivem Verhalten oder in dauernder Beschäftigung mit unterrichtsfremden Tätigkeiten. Einzelne Gruppenmitglieder oder ganze Arbeitsgruppen beschäftigen sich eventuell nicht mit der Falllö-sung oder fallen durch destruktive Äußerungen bzw. Verhalten auf. Nach Langmaak und Braune-Krickau (2000, S. 123 f.) stellt sich in dieser Situ-ation die zentrale Frage:

»Wovon ist die Energie einzelner oder der ganzen Gruppe so gebun-den, dass sie mit dem angebotenen Thema keinen Kontakt aufnehmen können?«

Zu ihrer Klärung sind Erkenntnisse über die Quelle der Widerstände er-forderlich. Hilfreiche Schlüsselfragen zur Situationsanalyse sind z. B.:

Schlüsselfragen
- Was will die Gruppe, was wollen Einzelne schützen?
- Womit wollen sie sich nicht konfrontieren?
- Was vermissen sie?
- Wo bin ich zu schnell, wo überfordere ich im Moment?
- Bin ich zu theoretisch oder zu praxisorientiert?
- Sind die angebotenen Übungen zu fremd?
- Gibt es einen Grund der außerhalb der Lernsituation angesiedelt ist?

Themenzentrierte Interaktion
Das Ziel solcher Überlegungen ist die Auflösung von Widerständen, so dass Einzelne oder die Gruppe wieder arbeitsfähig werden. Hierzu gibt es keine allgemeingültigen Verfahrensregeln oder Patentrezepte. Hilfrei-che Hinweise bietet eine Auseinandersetzung mit dem Ansatz der the-menzentrierten Interaktion (TZI), die von der Forschergruppe um Ruth Cohn in den USA der 1960er Jahre entwickelt wurde. Das Modell der TZI kann sowohl als Grundlage für die Problemanalyse einer spezifi-

schen Gruppenarbeitssituation dienen, als auch zur Optimierung von Lehr-Lern-Prozessen in und mit Gruppen nützlich sein. Grundsätzlich ist festzuhalten, dass die situationsspezifische Thematisierung von Störungen und Widerständen wichtig für die konstruktive Arbeit in Gruppen ist. Dieses regulierende Eingreifen auf der Metaebene des Unterrichts sollte jedoch nicht zum zentralen Thema werden, da es sonst selbst zur Störung werden kann. Insofern stellt die Begleitung von Arbeitsgruppen einen kontinuierlichen Lernprozess Lehrender dar, in dessen Verlauf diagnostische, prozesssteuernde und prozessbewertende Kompetenzen kontinuierlich entwickelt werden müssen. Insbesondere Reflexion und Evaluation am Ende von Unterrichtseinheiten, in denen Gruppenprozesse unterstützt wurden, bieten Gelegenheiten, das eigene Können weiter zu entwickeln (vgl. Becker, 1998, S. 210 ff.). Dies kann entlang der folgenden Überlegungen geschehen:

- Welche der von mir erwarteten inhaltlichen Schwerpunkte wurden nicht gesetzt?
- Wodurch entstand eine Differenz zwischen dem erwarteten und dem tatsächlichen Ergebnis?
- Wie reagierten die Teilnehmenden auf meine Anregungen?
- Wie zufrieden bin ich mit meiner Leistung und warum?
- Welche Aspekte wurden von bestimmten Lernenden vermieden oder vermisst?
- Welche neuen thematischen Aspekte haben sich ergeben?

Reflexion des Unterrichts

Mut etwas Neues auszuprobieren, Geduld, didaktische Kreativität, Gelassenheit bei Misserfolgen sowie reflexives Können bilden insgesamt günstige Eigenschaften und damit die Grundlage für die Übernahme der Lehrendenrolle im fallbasierten Unterricht.

Klein, I. (2011): Gruppen leiten ohne Angst: themenzentrierte Interaktion (TZI) zum Leiten von Gruppen und Teams. Donauwörth: Auer.
Löhmer, C., Standhardt, R. (2010): TZI – die Kunst sich selbst und eine Gruppe zu leiten: Einführung in die themenzentrierte Interaktion. Stuttgart: Klett-Cotta.

Zum Weiterlesen

3.5 Szenische Bearbeitung von Fällen (das Drama des Falls)

Eine Fallbearbeitung kann auch szenisch erfolgen, indem Spielformen im Lehr-Lern-Prozess eingesetzt werden. Die Ursprünge solcher Unterrichtsmethoden liegen in der Theaterpädagogik und wurden durch Formen der Psychodramaarbeit in die Pädagogik eingeführt. In diesem Kontext hat sich allerdings eine Vielzahl an begrifflichen Bezeichnungen für diese Unterrichtsverfahren ergeben, die ihre systematische Unterscheidung erschweren. Deshalb wird hier zunächst der Versuch einer Klärung vorgenommen. Aus der Perspektive der interaktionistischen Rollentheorie schlägt Meyer (1987) eine Kategorisierung spielbasierter Unterrichtsmethoden in die drei übergeordneten Konzepte Interaktionsspiele, Simulationsspiele und szenisches Spiel vor. Anknüpfend an die in Kapitel 2 dargestellten Potenziale fallbasierten Unterrichts zur Simulation von realen Handlungssituationen ist im Weiteren besonders das Simulationsspiel von Interesse. Meyer gliedert es in die Methode Rollenspiel und Planspiel, die sich hinsichtlich der Genauigkeit der Rollenvorgaben unterscheiden. So handelt es sich beim Rollenspiel um eine eher offene Spielform, deren zentrale Ziele die Selbsterfahrung und das Probehandeln der Lernenden in psychosozialen Konfliktsituationen sind. Es wird in Abgrenzung zum Planspiel gesehen, in dem der Spielablauf und die einzelnen Rollen stark vorgegeben und dadurch geregelt sind. Beide Methoden können wegen ihrer Nähe zum regulären Unterricht leicht in bestehende curriculare Zusammenhänge integriert werden und dienen der Arbeit an Haltungen und dem Entscheidungstraining (vgl. Meyer, 1987, S. 347 ff.).

Im pflegepädagogischen Kontext hat sich eher der von Scheller (1998) geprägte Begriff »szenisches Spiel« durchgesetzt. Ausgehend von der Kritik, dass schulisches Lernen entfremdetes Lernen sei, fordert er einen stärker erfahrungsbezogenen Unterricht an und mit Haltungen, in dem die je individuellen Erlebnisse der Lernenden als Ausgangspunkte dienen. Seine Intentionen bei der szenischen Bearbeitung von Dramen bezogen sich Anfang der 1980er Jahre zunächst auf einen erfahrungsbezogenen, verstehenden Zugang zu Emotionen, Konflikten, Krisen und Dilemmas von literarischen Figuren im Deutschunterricht. Seine methodischen Überlegungen dazu formuliert er wie folgt:

> »Szenisches Spiel ist Handeln in vorgestellten Situationen. Je genauere Vorstellungen die Spieler bzw. Spielerinnen von ihrer Rolle und der Situation entwickeln, umso besser sind sie in der Lage, reale Räume und Gegenstände, die Mitspielenden und sich selbst als andere wahrzunehmen und aus der Rolle heraus zu handeln. Werden ihre Vorstellungen systematisch aufgebaut und entfaltet, haben sie Gelegenheit, sich Schritt für Schritt in die Rolle und die Situation einzufühlen, dann bleibt ihr Handeln im Spiel nicht fiktiv und bloße Inszenierung, sondern wird so real, wie in analogen Alltagssituationen auch« (Scheller, 1998, S. 26).

Vom »szenischen Spiel im engeren Sinne« (ebd., S. 71) spricht Scheller, wenn Spieler aus mehr oder weniger detaillierten Rollen- und Szenenvorstellungen heraus in vorgestellten Situationen handeln. Diese definitorische Eingrenzung zeigt, dass das »szenische Spiel im engeren Sinne« dem Rollenspiel, wie es von Meyer verstanden wird, sehr ähnlich ist. Während Meyer mit dem Konzept Rollenspiel stärker auf die Aneignung und kritische Reflexion sozialer Wirklichkeit abzielt, stellt Scheller die Gefühlsarbeit ins Zentrum seines spielpädagogischen Ansatzes. Zur Entwicklung pflegeberuflicher Handlungskompetenz sind beide didakti-

Marginalia:

Simulationsspiel

Rollenspiel

Planspiel

Szenisches Spiel

Szenisches Spiel im engeren Sinn

sche Zugänge relevant und können methodisch miteinander verknüpft werden.

3.5.1 Pflegepädagogische Arbeit an und mit Gefühlen und Haltungen

Scheller begründet seinen szenisch-methodischen Ansatz auf der Basis konstruktivistischer Lerntheorien damit, dass Szenen von Menschen gestaltet, in Erlebnissen verarbeitet, zusammen mit Stimmungen eingeprägt und im szenischen Gedächtnis gespeichert werden. Auf diese Weise haben Menschen von Kindheit an Wahrnehmungs- und Beziehungsmuster entwickelt, die das Handeln bewusst oder unbewusst beeinflussen und steuern. Erlebnisse sind vor diesem Hintergrund mehr als bloß zufällige Eindrücke und Reaktionen. Sie sind vielmehr abhängig von den je individuellen Erlebnisweisen einer Person, die wiederum das Ergebnis vergangener Interaktionen und Erlebnisse sind. Diese Verflechtung aus Ursachen und Wirkungen erzeugt Haltungen, die relativ veränderungsresistent und damit für verbal belehrende Unterrichtsverfahren weitgehend unzugänglich sind. Eine Veränderung bisheriger Positionen und Einstellungen kann nach Scheller nur gelingen, wenn Erlebnisse in Erfahrungen umgeformt würden:

Erlebnisse

>»Zu einer Erfahrung verdichten sich Erlebnisse aber erst, wenn sie in ihrer Entstehung und Wirkung in der Situation und im Subjekt erklärt werden können« (Scheller, 1981, S. 61).

Erfahrungen

Die Arbeit an den Haltungen der Lernenden erfordere deshalb Lernsituationen, in denen die Lernenden deren Entstehungsgeschichte zurückverfolgen und reflexiv bearbeiten. Dazu bieten sich Fallgeschichten, also Szenarien an, deren dramatische Seiten durch szenische Unterrichtsmethoden nachempfunden und miterlebt werden. Die Unterrichtsituation bietet dabei den geschützten Raum, in dem sich ein Drama entfalten kann, indem es jedoch gleichzeitig kontrolliert bearbeitet und vor allem wieder beendet werden kann.

Neben der ursprünglich eher heuristisch begründeten Übernahme der Ideen Schellers im Pflegebildungskontext schließen diese mittlerweile an konsistente Modelle und Konzepte der Pflegepädagogik an. So geht Schwarz-Govaers (2010) in ihren Überlegungen zu einer subjektorientierten Pflegedidaktik von der zentralen Bedeutung einer methodisch-didaktisch gesteuerten Dekonstruktion der subjektiven Theorien der Lernenden aus, die im Rahmen pflegeberuflicher Bildungsprozesse rekonstruiert, reflektiert und neu bestimmt werden müssen.

Mit der konkreten Begründung szenischen Lernens in Pflegebildungsprozessen hat sich besonders Oelke (2009) beschäftigt, die hierin Möglichkeiten einer inhaltlichen Ausrichtung auf sozial-interaktive und kulturell-gesellschaftliche Dimensionen des pflegeberuflichen Handelns sieht. Nach ihrer Auffassung ist von besonderer Bedeutung, dass die für die Pflege charakteristische Emotionsarbeit im Mittelpunkt des szenischen

Spiels steht. Die Dramen, um die es gehe, wenn Beziehungen von Pflegenden bzw. Klienten im Rahmen der Aus- und Weiterbildung bearbeitet würden, seien oft »echte existenzielle Dramen an der Abbruchkante des normalen Lebens« (ebd., S. 47).

Haltungen und Fähigkeiten

Mit szenischen Spielformen können nach ihrer Ansicht folgende Haltungen und Fähigkeiten angeregt und gefördert werden:

- Die Lernenden werden mit den eigenen körperlichen Empfindungen und Reaktionen vertraut. Sie setzen sich mit ihren individuellen Bildern, Erlebnissen, Gefühlen, Wünschen und Ängsten auseinander, die sie mit existenziellen Bedrohungen wie Krankheit, Alter und Tod verbinden.
- Die Lernenden werden sich der Gefühle und Verhaltensweisen bewusst, mit denen sie auf solche Bedrohungen bei sich und anderen reagieren und versuchen, sie als Teil des eigenen Selbst zu akzeptieren.
- Die Lernenden nehmen die Bedürfnisse, Gefühle und Verhaltensweisen ihrer zu Pflegenden wahr und akzeptieren diese. Sie lernen sich derart zu verhalten, dass sich die zu Pflegenden als Subjekte ernst genommen fühlen.
- Die Lernenden unterscheiden zwischen den eigenen Bedürfnissen und Lebenseinstellungen und denen ihrer zu Pflegenden. Sie können Grenzen setzen, ohne das Gegenüber zu verletzen, wenn sie sich überfordert fühlen oder ihre eigenen Grenzen überschritten werden (vgl. Oelke/Scheller, 2009, S. 47).

Zur Annäherung an diese Zielstellungen steht ein bereits Spektrum an Unterrichtmethoden zur Verfügung, das jeweils fallbasiert eingesetzt werden kann. Im Folgenden wird exemplarisch gezeigt, wie eine szenische Fallbearbeitung angelegt sein kann.

Zum Weiterlesen

Broich, J. (1994): Rollenspiele mit Erwachsenen. Köln: Maternus.
Warm, U. (1981): Rollenspiel in der Schule: theoretische Analysen – kommunikationseffektive Praxis. Tübingen: Niemeyer.
Weidemann, B. (1995): Erfolgreiche Kurse und Seminare. Weinheim und Basel: Beltz.

3.5.2 Rollenspiel im fallbasierten Unterricht

Der in Kapitel 3.3 beschriebene Fall könnte mit leichten Änderungen auch folgendermaßen lauten:

Falldarstellung

… Der Stationsarzt teilt Benno die Diagnose mit und informiert ihn darüber, dass er vorerst im Krankenhaus bleiben muss, weil er eine spezielle Antibiotikatherapie braucht. Benno ist sauer! »Wie kann denn das passieren? Ich habe mich doch immer an eure Anweisungen gehalten«, fährt er Sie patzig an. Als der Arzt ärgerlich aus dem Zimmer gegangen ist, sagt Benno zu Ihnen: »Ich packe jetzt meine Sachen und lasse mich abholen!« Dann fängt er tatsächlich an, seine Bücher und CDs vom Nachttisch in eine Tasche zu räumen. Sie verstehen sein Verhalten nicht und finden seine Entscheidung fahrlässig. Die Verweigerung der Behandlung könnte schließlich lebensgefährliche Folgen haben! Als Sie das Zimmer verlassen wollen, um den Arzt über die neue Situation zu informieren, merken Sie, dass Benno leise vor sich hin schnieft und sich wie zufällig über die Augen wischt. Sie sind irritiert, weil er erst so aggressiv war und jetzt so verzweifelt wirkt. Sie fragen sich, wie Sie Benno in dieser Situation helfen könnten.

In dieser Fallversion werden die Emotionen der handelnden Personen stärker in den Vordergrund gestellt, um sie einer Bearbeitung durch die Lernenden zugänglich zu machen. Die dargestellte Szene bietet jedoch auch Spielanlässe zum Thema des geschlechtstypischen Rollenverständnisses und Rollenverhaltens. Zur didaktischen Analyse des Falls im Rahmen der Unterrichtsvorbereitung können die folgenden *Schlüsselfragen* hilfreich sein:

Schlüsselfragen

- Welches sind die im Fall handelnden Personen?
- Welche Verhaltensweisen, Emotionen und Haltungen kommen jeweils zum Ausdruck?
- Wie hoch wird die Dramatik des Falls eingeschätzt?
- Welcher Erfahrungen können hinsichtlich der beschriebenen Verhaltensweisen, Emotionen und Haltungen bei den Lernenden vermutet werden?
- Welche Erfahrungen habe ich als Lehrperson hinsichtlich der beschriebenen Verhaltensweisen, Emotionen und Haltungen?
- Welches Interesse kann bei den Lernenden hinsichtlich der szenischen Bearbeitung dieser Situation vermutet werden?
- Welche Zielbereiche können mit der Fallbearbeitung intendiert werden?
- Welche Spielverfahren können eingesetzt werden?
- Wie ist die Methodenkompetenz der Lernenden hinsichtlich möglicher Spielverfahren einzuschätzen?
- Wie schätze ich meine eigene Methodenkompetenz hinsichtlich möglicher Spielverfahren ein?

Voraussetzungen

Voraussetzungen

Szenische Verfahren bereichern die Methodik der Fallarbeit um handlungsorientierte Facetten der Simulation. Allerdings muss zu ihrem Gelingen sowohl bei Lernenden als auch bei Lehrenden Methodenkompetenz vorhanden sein oder entwickelt werden. Wenn möglich sollten Lehrende spielpädagogische Fortbildungsangebote wahrnehmen, um vorab eigene Erfahrungen mit dieser Methode zu sammeln und Sicherheit im Umgang mit diesem Verfahren zu gewinnen. Wenn dies nicht möglich ist, empfiehlt es sich zunächst, mit einem eher leichten Fall (wie dem oben beschriebenen) zu beginnen und das Repertoire der Spielformen langsam auszubauen. In jedem Fall plädiert Meyer (1987, S. 358) dafür, nach einigen spielbasierten Lernsituationen, die Methode selbst zum Unterrichtsthema zu machen, um deren Einsatz, Ergebnisse und Verbesserungspotenziale gemeinsam mit den Lernenden zu evaluieren.

Die Bearbeitung des oben beschriebenen Falls im Unterricht kann beispielsweise in Form eines Rollenspiels initiiert werden. Zum Einsatz dieser Methode im Unterricht empfiehlt Meyer (1987, S. 360f.) ein Ablaufschema, das sich in die Phasen Vorbereitung, Durchführung und Auswertung bzw. Wiederholung gliedert.

Vorbereitungsphase

Vorbereitung

Als Einstimmung und Motivation sollte der Lehrende zunächst erklären, wozu das Rollenspiel im Unterricht dient und welche Ziele damit grundsätzlich verbunden sind. Durch die so erzeugte Methodentransparenz soll Vertrauen geschaffen werden, das insofern nötig ist, als jugendliche und erwachsene Lernenden (anders als Kinder) häufig spielungeübt sind. Dadurch können Ängste vor Rollen- und Identitätsverlust entstehen, die das Einlassen auf ein Rollenspiel erschweren. Obwohl diese Methode durchaus Spaß machen darf, muss der Ernst des didaktischen Anliegens klar sein, damit Erwachsene selbstbestimmt mitspielen können. Vertrauensbildung durch verlässliche Regeln ist darüber hinaus nötig, um Beteiligungsängste wie Selbstoffenbarungsängste, also z. B. Ängste sich lächerlich zu machen, zu minimieren.

Vor diesem Hintergrund müssen die Spielregeln des Rollenspiels in der Vorbereitungsphase geklärt werden:

Regeln des Rollenspiels

Regeln

Im Rollenspiel übernehmen alle Anwesenden wichtige Funktionen, so dass alle Lernenden handelnd einbezogen werden. Die optimale Gruppengröße liegt bei 15–20 Teilnehmenden. Sie sind entweder Spieler, Beobachter oder Spielleiter.

Spieler

Als Spieler interpretiert jeder Lernende seine Rolle auf der Basis eigener Erfahrungen möglichst spontan und authentisch. Damit dies gelingt, ist es ungünstig, sich vorher ein Rollenskript auszudenken oder sogar aufzuschreiben.

Beobachter

Die *Beobachter* haben die Funktion, als Echos oder als Spiegel des Spiels zu wirken. Sie sollen nach Ablauf des Spiels ihre Wahrnehmungen der Situation beschreiben. Sie sind dafür verantwortlich, dass am Ende des Spiels verschiedene Perspektiven auf die dargestellte Situation deutlich werden. Dies erfolgt zunächst in Form eines subjektiven, bewertungsfreien Feedbacks, das die Grundlage für die anschließende Diskussion bildet. Durch die Einhaltung der folgenden Feedbackregeln wird die bewusste Trennung zwischen subjektiver Wahrnehmung und der Bewertung einer Situation im Kommunikationsprozess gefördert.

Regeln für das Geben von Feedback Feedbackregeln
1. Feedback soll beschreibend sein, nicht bewertend:
    z. B. »Deine Mimik hat mich irritiert.«
        statt: »Dein Augenzwinkern war überflüssig.«
2. Feedback soll subjektiv sein und sich auf Wahrnehmungen beziehen:
    z. B. »Deine Antworten waren für mich unverständlich.«
        statt: »Mit deinen Antworten kam man nicht klar.«
3. Feedback soll so konkret wie möglich sein:
    z. B. »Deine Erklärungen zu den weiteren pflegerischen Maßnahmen haben auf mich sehr beruhigend gewirkt.«
        statt: »Deine Art war für mich beruhigend.«
4. Feedback soll sich auf ein begrenztes Verhalten beziehen, nicht auf ein Gesamtverhalten:
    z. B. »Ich konnte deinen Ausführungen kaum folgen, weil du mir am Anfang des Gesprächs mit dem Patienten zu schnell geredet hast.«
        statt: »Du bist ein ziemlicher Schnellredner!«
5. Feedback soll sich auf das Wesentliche beschränken:
    Zu viele Informationen kann der Empfänger nicht aufnehmen.
6. Feedback soll sich auf das Hier und Jetzt beziehen:
    Das heißt, es sollte sich auf die Spielsituation nicht auf Vergangenes oder Zukünftiges beziehen.
7. Da jeder Lernende im Unterrichtsverlauf abwechselnd sowohl Spieler als auch Beobachter sein kann, muss das Feedback umkehrbar sein.
    Das heißt, dass sich niemand eine Rückmeldung herausnehmen darf, die er nicht auch empfangen wollen würde.

Regeln für das Empfangen von Feedback (vgl. Fittkau, 1994, S. 136)

- Ruhig zuhören!
- Den anderen ausreden lassen!
- Keine Verteidigungshaltung einnehmen!
- Bei Unklarheiten zurückfragen.

Die aufgeführten Feedbackregeln können auf einer Wandzeitung als Gedankenstütze für alle Beteiligten gut sichtbar im Klassenraum aufgehängt werden.

Spielleiter

Der *Spielleiter* ist für die Einhaltung der Spielregeln, der Feedbackregeln und des zeitlichen Rahmens verantwortlich und beschränkt sich auf diese Aufgabe. Diese Funktion wird in der Regel vom Lehrenden übernommen. In geübten Lerngruppen kann die Aufgabe jedoch auch an Lernende übertragen werden. In jedem Fall ist es wichtig, dass sich der Spielleiter nicht an der inhaltlichen Ausgestaltung des Rollenspiels beteiligt. Durch diese Abstinenz unterstützt er die Spieler und Beobachter und hilft ihnen, in ihrer Rolle zu bleiben (vgl. Oelke/Scheller, 2009, S. 47; Meyer, 1987, S. 359).

Spielanlass

Die Vorbereitungsphase dient vor allem dazu, die Lernenden auf den *Spielanlass* einzustimmen. Dieser geht beim fallbasierten Unterricht von der Fallbeschreibung aus, in der eine Fragehaltung resultiert, eine Konfliktlösung herbeigeführt werden muss oder eine bestimmte Handlungskompetenz erforderlich ist. Bezogen auf den oben beschriebenen Fall könnte ein Spielanlass aus der beschriebenen Situation zwischen dem Arzt, Benno und der Pflegekraft abgeleitet werden. Der Schlusssatz »*Sie fragen sich, wie Sie Benno in dieser Situation helfen könnten*« fordert dazu auf, gedanklich mögliche Ansätze zur weiteren Interaktion mit Benno zu entwickeln. Die Situation kann insofern von drei Lernenden nachgespielt und am Ende der Fallbeschreibung weitergespielt werden.

Spielfläche

Hierzu müssen auch die räumlichen Bedingungen des Unterrichts ins Auge gefasst werden. Für das Nach- und Weiterspielen des hier beschriebenen Falls sollte z. B. eine Spielfläche mit wenigen Requisiten (Krankenbett und Nachttisch mit Patientenutensilien) hergerichtet werden, die einem Krankenzimmer ähnelt und die ausreichend Platz und Sicht für die Beobachter bietet.

Durchführung

Durchführungsphase

Zur Einführung in die Durchführungsphase des Rollenspiels muss zunächst im Plenum die zu spielende Situation eingegrenzt werden. Je nach Art der Falldarstellung kann diese im Fallgeschehen identifiziert oder aus dem Fall entwickelt werden. Dabei sollte es sich wie im oben beschriebenen Fall um ein konkretes Problem oder um eine Fragestellung handeln, die verschiedene Handlungsalternativen eröffnet.

Anschließend sind Spieler für die einzelnen Rollen zu benennen. Diese Rollenzuweisung sollte möglichst freiwillig und ohne Druck des Spielleiters erfolgen. Die übrigen Lernenden übernehmen automatisch die Funktion der Beobachter. Wenn also z. B. die Rollen »Arzt«, »Benno« und »Pflegekraft« besetzt sind, erhalten die Spieler Gelegenheit, sich ihre Rollen zu erarbeiten. Dafür sollten sie sich etwas zurückziehen können (evtl. in einen Nebenraum), um ungestört und unbeobachtet Ideen für die szenische Darstellung austauschen zu können.

Rollenerarbeitung

Diese Rollenerarbeitung kann je nach der Methodenkompetenz der Lernenden und der Komplexität der darzustellenden Situation in verschiedenen *Varianten* erfolgen:

Die Rollen werden…
… mithilfe von Kleingruppen entwickelt,
… durch Regieanweisungen auf Spielkarten durch den Spielleiter inspiriert,
… von den Spielern im Gespräch entworfen,
… ohne vorherige Absprache spontan dargestellt.

Beobachtungsauftrag

Während sich die Spieler zurückziehen und beraten, formuliert der Spielleiter mit den Beobachtern einen Beobachtungsauftrag. Dieser ist in zweierlei Hinsicht wichtig. Zum einen wird hierdurch deutlich, dass die Beobachterrolle im Gegensatz zur Zuschauerrolle eine aktive ist. Zum anderen unterstützt der Auftrag das bewusste und fokussierte Wahrnehmen einer oftmals diffus erscheinenden und emotional angereicherten Spielsituation. In Lerngruppen, die im Rollenspiel noch ungeübt sind, kann der Beobachtungsauftrag auch vom Spielleiter vorgegeben werden. Bezogen auf den oben beschriebenen Fall könnten folgende Beobachtungsaufträge formuliert werden:

Bitte beobachten Sie …

- …, welche Emotionen von den einzelnen Spielern dargestellt werden und wie diese mimisch und gestisch zum Ausdruck kommen.
- … bei jeder der dargestellten Rollen, ob widersprüchliche Emotionen und Bedürfnisse deutlich werden und notieren Sie, welche Widersprüche Sie erkenne können.
- …, auf welche Weise »die Pflegekraft« auf Benno eingeht.
- …, wie Benno auf die Interaktion mit der Pflegekraft reagiert.
- …, worin die gespielte Lösung der Situation konkret besteht.
- …, an welchen Stellen sich die Pflegekraft anders verhält, als Sie es erwartet haben.

Der Beobachtungsauftrag kann zusätzlich spezifiziert und dadurch erleichtert werden, dass sich die Beobachter gruppenweise mit der Beobachtung einzelner Rollen im Spiel beschäftigen. Dadurch müssen nicht alle alles beobachten, sondern können sich einem Teilaspekt des Spiels widmen, der dafür besonders intensiv wahrgenommen werden kann.

Beobachtungsbogen

Der formulierte Beobachtungsauftrag kann auf einem *Beobachtungsbogen* fixierte werden, der die Beobachtungsaufgabe unterstützen kann und gleichzeitig eine Dokumentationsgrundlage für erste Ergebnisse im Spielprozess darstellt.

Erster Spieldurchlauf

Nachdem Spieler und Beobachter vorbereitet sind, kommen alle Beteiligten wieder im Unterrichtsraum zusammen und bauen die Spielsituation auf. Zur besseren Orientierung in komplexen Spielsituationen kann es hilfreich sein, wenn die verschiedenen Akteure Namensschilder oder Rollenschilder tragen. Dann kann der erste Spieldurchlauf beginnen.

Die im Fallbeispiel geschilderte Situation wird von den drei Spielern nachgespielt und dadurch szenisch interpretiert. Ihre Erfahrungen und

Haltungen prägen die Darstellungsweise der Situation, die wiederum ihrerseits eine neue physische und psychische Erfahrung bildet. Anschließend wird die Geschichte szenisch weitergeführt, wodurch szenisch Antworten auf die Frage angeboten werden, wie eine gelungene Interaktion zwischen Benno und der Pflegekraft aussehen könnte. Vor allem in Lerngruppen, die in szenischen Spielformen noch ungeübt sind, sollte das Rollenspiel ohne Unterbrechung dargestellt und beobachtet werden (vgl. Meyer, 1989, S. 360 f.).

Spieltechniken Neben der Möglichkeit, das Rollenspiel einfach durchspielen zu lassen, steht zusätzlich eine Reihe von *Spieltechniken* zur Verfügung, die zur vertieften oder verfeinerten Bearbeitung einzelner Aspekte beitragen können. Der Einsatz solcher Techniken kann entweder vorher mit den Lernenden abgesprochen oder spontan vom Spielleiter initiiert werden. Scheller (1998) beschreibt eine ganze Palette solcher Spieltechniken, die je nach der geplanten oder entstehenden Lernsituation unterschiedlich nützlich sein können. An dieser Stelle werden lediglich solche Spieltechniken vorgestellt, die im Rahmen der hier entworfenen exemplarischen Fallbearbeitung sinnvoll erscheinen.

Beiseite reden • Beiseite reden

Das Rollenspiel wird während der Interaktion unterbrochen. Ein Spieler spricht zur Seite das aus, was ihn innerlich bewegt wie z. B. Ängste, Erwartungen und Wünsche. Bezogen auf den oben beschriebenen Fall ist diese »innere Seite« aller drei Rollen interessant und hilft beim Nachspielen der Fallsituation, Anknüpfungspunkte für deren Lösung zu finden.

Einführung neuer Rollen • Einführung neuer Rollen

Zur Rekonstruktion der Vorgeschichte von Erlebnissituationen, aber auch zur Erprobung unterschiedlicher Verhaltensweisen, können neue Personen ins Spiel eingeführt werden. Bezogen auf den oben beschriebenen Fall könnten z. B. folgende weitere Rollen auftauchen:

– Ein anderer Patient reagiert anders auf die Diagnose.
– Der Ausbildungsmeister von Benno weist ihn auf Probleme mit der Übernahme nach der Ausbildung hin, wenn er zu viele Fehlzeiten während der Lehrzeit aufweist.
– Bennos Mutter erzählt von einer Fernsehsendung über Krankenhausinfektionen, in der schlimme Krankheitsverläufe und sogar Todesfälle geschildert wurden.

Zur Integration einer neuen Rolle kann der Spielleiter das Spiel unterbrechen und einen Beobachter zum Spieler machen, indem dieser eine Spielkarte mit einer der oben stehenden Regieanweisungen erhält.

Hilfs-Ich • Hilfs-Ich

Ein zusätzlicher Spieler wird als Hilfs-Ich hinter den Spieler einer Rolle gesetzt oder gestellt und spricht aus, was der Rolleninhaber denkt. Das Hilfs-Ich kann aber auch als Rollenunterstützung eingesetzt werden, indem es dem Rolleninhaber Gedanken und Gefühle einflüstert, die seine Rollendarstellung verstärken. Bezogen auf den oben beschriebenen Fall könnte z. B. ein Hilfs-Ich der Pflegekraft eingesetzt werden, um deren

Gedanken über mögliche Reaktions- und Verhaltensformen im Umgang mit Benno für die Mitspieler und Beobachter wahrnehmbar zu machen.

- Fragen stellen

  Mit gezielten Fragestellungen kann der Spielleiter in das Rollenspiel eingreifen, wenn dieses ins Stocken gerät, abschweift oder Unsicherheit bzw. Ratlosigkeit auftritt. Damit kann er die Genauigkeit der Darstellung erhöhen und Darstellungsprobleme auflösen. Bezogen auf den oben beschriebenen Fall könnte z. B. die Situation auftreten, dass sich nach einem längeren Dialog keine Lösung abzeichnet, weil Benno lediglich trotzige Bemerkungen macht und die Pflegekraft mit immer gleichlautenden Apellen auf ihn einredet. In einer solch festgefahrenen Spielsituation kann die gezielte Frage nach einer möglichen, konstruktiven Form der Gesprächsbeendigung eine vorläufige Lösung bieten.

Fragen stellen

Auch für die Beobachter bestehen Möglichkeiten, direkt in das Spiel einzugreifen. Diese Spieltechniken sollten jedoch erst eingeführt werden, wenn die Lernenden einige Übung mit szenischen Unterrichtsverfahren haben. Anderenfalls könnte ihre Intervention als Störung und damit irritierend auf die Spieler wirken. Die folgenden drei Spieltechniken können von den Beobachtern eingesetzt werden.

- Stopp

  Ein Beobachter kann das Spiel unterbrechen, wenn Unklarheiten auftreten oder wenn sich das Spiel festgefahren hat. Dafür kann ein Zeichen vereinbart werden, wie z. B. »stopp« rufen. Eine solche Spielunterbrechung wird nicht mit einer konkreten Frage oder einem Spielvorschlag verbunden, sondern fordert allgemein zur Unterbrechung und Modifikation des Spiels auf.

Stopp

- Freeze (*freeze* = engl. einfrieren)

  Durch ein spezielles akustisches Zeichen, wie z. B. »freeze« rufen oder klatschen, fordert ein Beobachter die Spieler auf, in der Stellung zu verharren (einzufrieren), in der sie gerade sind. In Analogie zu einer anderen szenischen Methode, dem »Standbild bauen«, haben die Lernenden nun Gelegenheit, die eigenen Haltungen bewusst wahrzunehmen und sich in fremde Haltungen einzufühlen. Diese eingefrorene Spielsituation kann genutzt werden, um bestimmte Haltungsmerkmale wie z. B. Mimik, Gestik, Position im Raum aufzuzeigen und damit hervorzuheben. Ein weiteres vereinbartes Zeichen löst die Erstarrung wieder auf und das Spiel wird fortgesetzt.

Freeze

- Echo

  Auch verbale Anteil der szenischen Darstellung können hervorgehoben werden. Dazu unterbricht ein Beobachter das Spiel und wiederholt einen Satz wortwörtlich, der aktuell im Spielverlauf formuliert wurde.

Echo

Am Ende der Durchführungsphase werden die Spieler vom Spielleiter explizit aus ihren Rollen entlassen. Dieser letzte Schritt ist insofern wichtig, als damit ein klares Zeichen für das Ende der Rollenübernahme gesetzt

Rollenentlassung

wird. So kann verhindert werden, dass die Spielrolle in die Alltagsrolle ausstrahlt und auf diese Weise zu gruppendynamischen Problemen für die beteiligen Lernenden führen kann. Klar gesetzte Anfangs- und Endpunkte erleichten die Rollenübernahme und fördern sowohl die Spielfreude bei Lehrenden und Lernenden als auch die Entwicklung von Methodenkompetenz hinsichtlich szenischer Verfahren.

Auswertungsphase

Austausch von Wahrnehmungen — Zur Auswertung des Rollenspiels treffen sich die Lernenden wieder im Plenum z. B. in einem Sitzkreis. Ziel dieser Unterrichtsphase ist zunächst der Austausch über die je subjektiven Wahrnehmungen aller Beteiligten. Dabei kommen zunächst diejenigen zu Wort, die zuvor Spieler waren und sich nun außerhalb ihrer Spielrolle äußern können. Anschließend kommunizieren die Beobachter ihre Wahrnehmungen, gegebenenfalls entlang des Beobachtungsauftrags. In diesem Teil der Auswertung ist besonders darauf zu achten, dass die Feedbackregeln eingehalten werden, damit die Subjektivität und Vielfältigkeit der Wahrnehmungen zum Ausdruck kommen können. Dieses Ziel wird insbesondere dann erreicht, wenn sich möglichst viele Lernende am Austausch beteiligen. Um dies zu gewährleisten, könnte beispielsweise eine Blitzlicht-Runde initiiert werden, in der jeder Lernenden aufgefordert ist, ein kurzes Statement zu der Frage zu formulieren:

> Was ist mir beim Beobachten des Spiels besonders aufgefallen?

Diskussion — In einem nächsten Schritt werden die gespielten Lösungsansätze bewertet und diskutiert. Bezogen auf den oben beschriebenen Fall könnte sich eine Diskussion mit den folgenden Fragen beschäftigen:

- Wie echt haben die Rollen gewirkt?
- Welche Gefühle kamen in den einzelnen Rollen zum Ausdruck?
- Wie wurde mit widersprüchlichen Gefühlen umgegangen?
- Welche Haltungen kamen jeweils zum Ausdruck?
- Welche ähnlichen Erfahrungen, z. B. als Empfänger einer schlechten Nachricht, habe ich selbst schon gemacht?
- Wie ist die Pflegekraft mit dem widersprüchlichen Verhalten von Benno umgegangen?
- Wie erlebe ich Tränen oder aggressives Verhalten bei Männern?
- Wie erlebe ich Tränen oder aggressives Verhalten bei Frauen?
- Haben die Spieler eine Lösung des Problems gefunden?
- Welche alternativen Verhaltens- oder Lösungsvorschläge gibt es?

Szenische Auswertung — Das Rollenspiel kann jedoch nicht nur verbal sondern auch szenisch ausgewertet werden. Insbesondere hinsichtlich der letztgenannten Fragestellung nach alternativen Verhaltens- oder Lösungsmöglichkeiten können Vorschläge nicht nur erklärt sondern auch vorgespielt werden. So ergeben sich in der Auswertungsphase erfahrungsbezogene Lernanlässe, bis hin zur möglichen Wiederholung des Rollenspiels zur Erprobung alternativer Lösungsansätze.

Szenische Methoden, wie das Rollenspiel, unterscheiden sich stark von den üblichen Unterrichtsverfahren, mit denen die Lernenden eher vertraut sind. Sie verbringen die überwiegende Unterrichtszeit in Haltungen, die von frontalem, lehrerzentriertem Lernen geprägt sind. Das Wahrnehmungs- und Verhaltensspektrum ist dabei stark eingeschränkt und häufig recht gleichförmig ritualisiert. Die Arbeit an körperlichen und emotionalen Reaktionen in einer Lernsituation nimmt darin eine eher untergeordnete Rolle ein. Spielformen bilden insofern einen Bruch im Schulalltag, der methodisch durch eine Warm-up-Phase eingeleitet werden kann. Unter einem Warm up werden kurze (5–10 Minuten) Anfangssequenzen verstanden, in denen theaterpädagogische Methoden der Körperarbeit eingesetzt werden, um die Lernenden zu mobilisieren und zu aktivieren. Am Schluss des spielbasierten Unterrichts ist eine Cool-down-Phase mit Entspannungsübungen hilfreich, um den Ausstieg aus dieser Lernform zu erleichtern. Solche Verfahren des Ein- und Ausstiegs ermöglichen es Lernenden wie Lehrenden, sich auf die szenische Bearbeitung von Unterrichtsthemen einzulassen, indem sie prägnante Anfangs- und Endpunkte setzen. Die folgenden Literaturempfehlungen bieten eine große Auswahl an Ideen für die Gestaltung von Warm-up- und Cool-down-Phasen im Unterricht an.

Warm up und Cool down

Eberhardt, D. (2005): Theaterpädagogik in der Pflege. Stuttgart: Thieme.
Vopel, K.-W. (1999): Anwärmspiele. Salzhausen: Iskopress.

Zum Weiterlesen

Vorbereitung	Spielleiter benennen
	Spielfläche wählen
	Spielanlass klären
	Spielregeln festlegen
Warm up	
Durchführung	Spielgegenstand eingrenzen
	Rollen zuteilen
	Rollen erarbeiten
	Beobachtungsauftrag formulieren
	Spielsituation aufbauen
	Spieldurchgang mit Spieltechniken
Auswertung	Wahrnehmungen austauschen
	Lösungsansätze bewerten und diskutieren
	Alternativen spielen
Cool down	

Abb. 3.7:
Ablaufschema des Rollenspiels

3.5.3 Grenzen und Gefahren der szenischen Fallarbeit

Neben den vielfältigen Potenzialen, die mit der szenischen Fallarbeit verbunden sind, sollen an dieser Stelle auch Grenzen und Gefahren thematisiert werden. So weist Meyer (1987, S. 365) darauf hin, dass ein Rollenspiel zu lange dauern oder ins Stocken geraten kann. In solchen Fällen kann die Lernsituation durch gezieltes Eingreifen des Spielleiters in konstruktive Bahnen gelenkt oder das Spiel abgebrochen werden. Auch die Auswertung eines abgebrochenen Rollenspiels kann wertvolle Lernergebnisse hervorbringen.

Verbale Scheinlösungen

Schwieriger ist die Situation, wenn es im Rahmen von Rollenspielen zu verbalen Scheinlösungen kommt, die eine echte Auseinandersetzung mit der gespielten Situation umgehen. Die Wirkung von szenischen Methoden kann auch dadurch eingeschränkt werden, dass einzelne Lernende solche Verfahren als Bühne ihr persönliches Darstellungsbedürfnis nutzen. Vor diesem Hintergrund ist darauf zu achten, dass jeder Lernende einmal als Spieler mitwirken kann und nicht ausschließlich diejenigen mit schauspielerischen Ambitionen, die schauspielerische Talente zeigen wollen. Überzeichnende, parodierende Darstellungsweisen einzelner Spieler müssen dagegen das Unterrichtsziel nicht unbedingt gefährden. Vielmehr können die karikierende Überzeichnung und deren Motive selbst zum Thema der Auswertung werden und auf diesem Wege Emotionen und Haltung aufschließen.

Gegenseitiges Vertrauen

Ein grundsätzliches Ausschlusskriterium für spielbasierte Unterrichtsverfahren kann in der gruppendynamischen Situation der Lerngruppe liegen. Miteinander spielen setzt gegenseitiges Vertrauen voraus, das in Lerngruppen gestört sein kann, in denen massive, längerfristige Konflikte bestehen.

Scheller und Oelke (2009) verwenden in ihren hilfreichen Abhandlungen zur methodischen Gestaltung von szenischen Verfahren im Unterricht stellenweise Begriffe wie »Projektion« oder »Abwehr- und Integrationsmechanismen« (ebd., S. 47), die theoretische Bezüge zur Psychoanalyse herstellen. Dies weist auf eine Gefahr hin, die den Grenzbereich zwischen didaktischem und psychotherapeutischem Handeln betrifft. Obwohl Annahmen und Modelle aus dem Bereich der Psychoanalyse hilfreiche Erklärungsrahmen für psychodynamische Prozesse des Lehrens und Lernens bieten, darf nicht das Missverständnis entstehen, Lehrende seien Psychotherapeuten. Gerade bei der didaktischen Arbeit an Konstruktionsgeschichten und Haltungen können jedoch solche Grenzbereiche tangiert werden, wenn deren Ursachen in frühen Kindheitserlebnissen gründen. Vor diesem Hintergrund ist eine klare Rollen- und Zuständigkeitsbestimmung der Lehrenden im Rahmen szenischer Unterrichtsmethoden von zentraler Bedeutung. Hier wird die Auffassung vertreten, dass die Zuständigkeit der Lehrenden an der Grenze zur Psychotherapie endet, was im Rahmen der Lehrerqualifikation deutlich herausgestellt werden muss. Eine grenzüberschreitende Berufsauffassung, die oft eher aus Versehen als aus Überzeugung und Befähigung erfolgt, überfordert sowohl die Lehrenden als auch die Lernenden.

Grenze zur Psychotherapie

Bezogen auf pflegeberufliche Bildungsprozesse besteht die Gefahr einer Überbetonung der emotionalen Einfühlung als professionelle Bewältigungsstrategie dramatischer Handlungssituationen. Mindestens ebenso wichtig ist die Befähigung zur persönlichen Abgrenzung bzw. zur Entwicklung innerer Schutzmechanismen sowie zur aktiven Inanspruchnahme von Unterstützungsmaßnahmen wie z. B. Supervision und Seelsorge.

Letztlich ist beim Einsatz szenischer Verfahren generell zu überprüfen, ob spielpädagogische Ansätze anschlussfähig an die Lernkultur einer jeweiligen Bildungseinrichtung sind. Ist diese z. B. autoritär an sozialen Hierarchien und an Leistungsmessung orientiert, können solche Verfahren unauthentisch wirken. In den meisten Bildungseinrichtungen können szenische Verfahren jedoch das Methodenspektrum erweitern und die Arbeit an Fällen bereichern.

Lernkultur

3.6 Fallbasierte Arbeit an ethisch-moralischen Grenzsituationen (das Dilemma im Fall)

Pflegerisches Handeln ist aufgrund seiner Aufgaben und handlungsstrukturellen Merkmale von ethisch-moralischen Dilemmas geprägt. Unter dieser Prämisse stellt die Befähigung zur Reflexion, Formulierung und Begründung der eigenen moralischen Orientierung sowie zum Erkennen moralischer Probleme in der eigenen pflegerischen Handlungspraxis ein wichtiges Ziel pflegeberuflicher Bildung dar. Zukünftige Pflegende müssen Urteilsfähigkeit, Diskursfähigkeit und schließlich Bereitschaft und Mut, auch tatsächlich moralisch zu handeln, im geschützten Raum der schulischen Ausbildung einüben, um diese Fähigkeit in ggf. multiprofessionellen Anforderungssituationen einsetzen zu können. Damit wird eine Grundlage für die aktive und konstruktive Teilnahme an ethischen Fallbesprechungen im praktischen Handlungsfeld entwickelt, wie sie z. B. von Riedel, Lehmeyer und Elsbernd (2013) konzipiert werden. Diese Zielperspektive wird von Rabe (2005, S. 131) unter dem Begriff »ethische Kompetenz« zusammengefasst. Sie verortet diesen Kompetenzbereich gleichsam als Brücke zwischen personaler und sozial-kommunikativer Kompetenz. Dabei stellt sie heraus, dass der Entwicklung ethischer Kompetenz im Rahmen der gesundheitsberuflichen Aus- und Weiterbildung die Rolle einer Schlüsselqualifikation zukommt. Diese Orientierung an Kompetenzdimensionen ist jedoch nur mittelbar geeignet, unterrichtsrelevante Planungsentscheidungen zu legitimieren (Dieterich, 2013, S. 209). Deshalb werden im Folgenden konkretere Ansätze der allgemeinen und der pflegebezogenen Didaktik identifiziert, die Hinweise zur Arbeit an ethischen Problemstellungen im Unterricht bieten.

3.6.1 Entwicklung von Werthaltungen als Bildungsziel

Bildungsziele, die auf die Entwicklung von Werthaltungen ausgerichtet sind, werden im Kontext der allgemeinen Didaktik als affektive Lernziele bezeichnet. Sie beziehen sich »[...] auf die Veränderung von Interessenlagen, auf die Bereitschaft etwas zu tun oder zu denken, auf die Einstellungen und Werte und die Entwicklung dauerhafter Werthaltungen« (Meyer, 1991, S. 87).

Schon in den 1970er Jahren problematisierten Krathwohl et al. eine beobachtbare Vernachlässigung des affektiven Lernbereichs zugunsten kognitiver Zielsetzungen. Sie führen die überbetonte Fokussierung kognitiver Unterrichtsziele darauf zurück, dass diese im Kontext gängiger Verfahren der Leistungsmessung überprüfbar seien. In einem zensurenorientierten Bildungssystem rückten affektive Zielesetzungen aus empirischen Gründen zunehmend aus dem Blickfeld. In Wirklichkeit jedoch seien affektive und kognitive Lernprozesse nicht voneinander zu trennen. Im Rahmen didaktischer Planung müsse die Ebene der Veränderung und Entwicklung von Werthaltungen stets analysiert und mitgedacht werden, damit sie zu keinem ausschließlich geheimen Lehrplan gerieten. Zur didaktischen Analyse unterscheiden Krathwohl, Bloom und Masia (1975, S. 92 ff.) die folgenden fünf taxonomischen Ebenen des affektiven Lernbereichs, die teilweise durch Unterkategorien spezifiziert werden:

Affektive Lernziele

Aufmerksam werden, beachten

Auf dieser Ebene geht es um die Sensibilisierung der Lernenden für die Existenz eines bestimmten Phänomens, so dass er bereit ist dieses zu beachten.

Z. B.: Die Lernenden werden auf Arten der Keimkontamination durch ihre Tätigkeit im Krankenhaus aufmerksam. Dabei geht es weniger um den kognitiven Aspekt des Wissens über die Kontaminationswege und -ursachen, als vielmehr um die Bereitschaft sich mit dem Thema auseinanderzusetzten.

Reagieren

Auf der nächsten Eben geht es darum, dass sich der Lernende aktiv dem Phänomen zuwendet, auf das er aufmerksam wurde und gewillt ist, damit verbundene Regeln zu beachten.

Z. B.: Die Lernenden befolgen verschiedene Standards zur Infektionsprophylaxe.

Werten

Auf dieser Ebene werden sozial vermittelte Werte langsam übernommen und verinnerlicht. Sie werden als eine beständige Haltung angenommen.

Z. B.: Die Lernenden entwickeln einen Sinn für ihre Verantwortung bei der Einhaltung hygienischer Standards. Nacheinander internalisierte Werte werden zu einem Wertesystem zusammengeführt, so dass Wechselbeziehungen zwischen verschiedenen Werten aufgebaut und Prioritäten herausgebildet werden. Dieses Wertesystem fundiert das Handeln in komplexen Situationen.

Z. B.: Die Lernenden wägen die Bedeutung hygienischer Standards in unterschiedlichen Handlungssituationen ab.

Charakterisierung durch einen Wert oder eine Wertstruktur
Auf dieser Ebene handelt das Individuum durchweg in Übereinstimmung mit den auf den vorigen Stufen internalisierten Werten. Sie charakterisieren seine Motive und sein Verhalten nachhaltig.
Z.B.: Die Infektionsprophylaxe ist als wichtiges Prinzip in das eigene Berufsethos integriert.

Lind (2003) erachtet die Entwicklung moralischer Fähigkeiten bei Kindern und Jugendlichen als demokratische Schlüsselfähigkeit und definiert **Moral**

> »Moral als Fähigkeit, in Bezug auf die eigenen moralischen Ideale konsistent und in Bezug auf die jeweilige Situation angemessen (differenzierte) zu urteilen und zu handeln« (Lind, 2005, S. 33).

Mit diesem Fähigkeitsansatz weist er über moralische Konzepte der Normenkonformität oder der reinen Gewissenorientierung hinaus. Es reiche nicht aus, bestimmte moralische Prinzipien als individuelles Wertesystem zu verinnerlichen, wie es von Krathwohl et al. im Rahmen affektiver Lernzieltaxonomien intendiert sei. Die persönliche Urteilsfähigkeit sei erst dann als moralische Fähigkeit zu bezeichnen, wenn sie mit einer Diskursfähigkeit einhergehe, die soziale Aushandlungsprozesse ermögliche. Zudem entfalte sich moralisches Handeln im Spannungsfeld verschiedener teilweise konkurrierender moralischer Prinzipien, also in Dilemmas (vgl. Lind, 2005, S. 33 ff.).

Die Konzeption von Moral als Fähigkeit ist nach Lind deshalb so bedeutsam, weil sich daraus im Umkehrschluss deren grundsätzliche Lehrbarkeit ableite. Damit legitimiert er einerseits den curricularen Stellenwert von Bildungszielen, die sich auf die Entwicklung moralischer Fähigkeiten richten. Andererseits grenzt er sich explizit von traditionellen Vorstellungen über Moralerziehung ab, die vom »Du-sollst-das-wollen«-Paradoxon geprägt sind. Die Entwicklung von Moral und damit von demokratischer Mündigkeit ist nach seiner Ansicht unter sozialem Zwang unmöglich (vgl. Lind, 2005, S. 37). Zu fragen ist folglich, welche Unterrichtsverfahren zur Entwicklung moralischer Fähigkeiten dieses Paradoxon auflösen. Die Herausforderung liegt dabei darin, im Rahmen formaler Bildungsprozesse, die per se mit sozialen Machtansprüchen konnotiert sind, die erforderlichen Freiheitsgrade zu eröffnen.

Kohlberg, L. (1995): Die Psychologie der Moralentwicklung. Frankfurt a. M.: **Zum Weiterlesen**
  Suhrkamp.
Krathwohl, D., Bloom, B., Masia, B. (1975): Taxonomie von Lernzielen im affektiven Bereich. Weinheim und Basel: Beltz.

3.6.2 Dilemmadiskussion im fallbasierten Unterricht

Vor dem oben beschriebenen Hintergrund schlägt Lind (2005) zur Entwicklung moralischer Fähigkeiten ein Verfahren vor, dass er »*Konstanzer*

Methode der Dilemmadiskussion« nennt. Auf der Basis breiter theoretisch-empirischer Befunde stellt er hierin die methodisch gelenkte Auseinandersetzung mit moralischen Positionen und möglichen Gegenpositionen ins Zentrum des Unterrichts. Er grenzt sich damit von Methoden ab, die in Analogie zu Kohlbergs Stufenmodell der moralischen Entwicklung ein stufenförmiges Voranschreiten in Lernprozessen vorsehen.

Die Konstanzer Methode setzt gezielt die rhythmische Abwechslung von Phasen der Unterstützung und der Herausforderung der Lernenden ein, um ein optimales Aufmerksamkeitsniveau zu ermöglichen, bei dem sowohl Langeweile als auch Überforderung vermieden werden. Nach Lind läuft der Lernprozess optimal ab, wenn sich Phasen der Unterstützung und Herausforderung in einem ca. 10-Minuten-Rhythmus abwechseln. In diesem Zusammenhang meint Unterstützung z. B.:

Unterstützung

- Probleme und Aufgabenstellungen gut klären,
- Theorien anschaulich erklären,
- Experimente und Filme vorführen,
- Exkursionen,
- in kleinen Gruppen arbeiten lassen,
- mit Gleichgesinnten diskutieren lassen,
- Argumente an der Tafel mitschreiben,
- Loben,
- beim Artikulieren helfen etc.

Herausforderung

Unter *Herausforderung* werden Handlungsformen verstanden, wie z. B. (Lind, 2012):

- Probleme und Aufgaben lösen lassen,
- Theorien wiedergeben und paraphrasieren lassen,
- Experimente selber durchführen lassen,
- Exkursionen planen,
- im Plenum zur Wortmeldung und Diskussion auffordern,
- mit Gegnern diskutieren lassen,
- einen Gedanken klarer formulieren lassen.

Zur Entwicklung des moralischen Denkens setzt der Autor auf die Auseinandersetzung mit Widerspruch bzw. Gegenargumenten, die im Rahmen konfrontativer Diskussionen vorgebracht werden. Im Zentrum steht dabei das Dilemma und nicht der Konflikt:

> »Die Dilemmadiskussion ›versachlicht‹ einen Konflikt, indem sie die Aufmerksamkeit der Teilnehmer auf den ›moralischen Kern‹ eines Konflikts, nämlich die moralischen Dilemmas lenkt, die ihm zugrunde liegen. Die Grundregel, andere Personen nicht abzuwerten, trägt weiter zur Fokussierung auf die ›Sache‹ bei. Das heißt aber nicht, dass diese Methode Emotionen ausschließt. Im Gegenteil, die Methode schließt an die moralisch-affektiven Bindungen der Teilnehmer an, hilft, sie bewusst zu machen, und bringt so Dilemma- und Konfliktgefühle hervor. Diese Gefühle sind aber nicht an Personen gebunden, weder an die eigene (wie bei Schuldgefühlen) noch an andere Personen (wie bei Hassgefühlen)« (Lind, 2005, S. 79).

Die Ausgangsbasis und Kernkompetenz bildet dabei die moralischer Urteils-fähigkeit, die von Kohlberg (1964, S. 425) definiert wurde als die Fähigkeit:

> »Entscheidungen und Urteile zu treffen, die moralisch sind, das heißt, auf inneren Prinzipien beruhen und in Übereinstimmung mit diesen Urteilen zu handeln« (zitiert nach Lind, 2003, S. 46).

Am Anfang steht somit die Entwicklung eines reifen moralischen Urteils, das sowohl an den persönlichen moralischen Prinzipien als auch an den Besonderheiten einer Situation ausgerichtet sein muss. Es zeichnet sich dadurch aus, dass es individuell konsistent und hinsichtlich konkurrierender Moralprinzipien differenziert ist.

Mit der Methode der Dilemmadiskussion hebt Lind die pädagogische Zieldimension der Handlungsfähigkeit hervor. Moralische Dilemmas seien nicht nur auf der Ebene des individuellen Nachdenkens zu lösen, sondern erforderten darüber hinaus die Fähigkeit zum inneren und äuße-ren moralischen Diskurs. Diskursfähigkeit

> »Diese Fähigkeit sollte sich zumindest darin äußern, dass man bereit ist, Gegen-argumente, […], anzuhören und darüber ernsthaft nachzudenken. Auf einer hö-ren Stufe der Entwicklung sollten solche Argumente dazu führen, die vorgefasste Meinung zu überdenken und vielleicht sogar zu revidieren« (Lind, 2003, S. 75).

Urteilsfähigkeit und Diskursfähigkeit hebt der Autor als Kernfähigkeiten hervor, die mit der Dilemmadiskussion entwickelt werden können. Wei-tere Teilfähigkeiten, die mit dieser Methode gefördert werden sollen, sind:

- sich der eigenen Prinzipien bewusst zu werden,
- Umstände und Fakten einer Situation genau zu betrachten,
- die eigenen Prinzipien nach ihrer Wichtigkeit und Angemessenheit unterscheiden zu können,
- bei Konflikten zwischen gleichrangigen Prinzipien Meta-Prinzipien zu finden, mit deren Hilfe solche Konflikte aufgelöst werden können,
- die eigenen Prinzipien in einem sozialen Kontext zu artikulieren, auch wenn Gegner der eigenen Meinung zugegen sind oder Freunde eine an-dere Meinung vertreten als man selbst,
- den Argumenten anderer zuhören zu können, auch wenn sie von Men-schen kommen, die einem fremd oder anderer Meinung sind.

Das auf die Handlungswirklichkeit gerichtete Ziel ist es, diese Fähigkeiten auch dann zu zeigen, wenn eine Situation emotional aufgeladen ist, also dramatische Merkmale aufweist (►**Kap. 3.5.1**; vgl. Lind, 2003, S. 75 ff.). Wie weiter oben skizziert wird, müssen sich diese Fähigkeiten in einer herrschaftsfreien Lernumgebung entwickeln und entfalten. Lehrenden kommt somit weniger eine moralisch belehrende Rolle zu. Sie haben viel-mehr die Aufgabe, Anlässe und Voraussetzungen für moralische Diskurse in Lerngruppen herbeizuführen. Dafür eignet sich insbesondere die fall-basierte Arbeit mit *semi-reales moralisches Dilemma*. Dabei handelt es sich um die Fallbeschreibung einer Zwangslage einer fiktiven Person, die Semi-reales morali-sches Dilemma

91

zwischen zwei Verhaltensalternativen wählen muss, die gegen ihre moralischen Prinzipien verstoßen. Das Dilemma sollte darin so realistisch dargestellt sein, dass Neugier und Spannung, aber keine lernhemmenden Emotionen wie Angst oder Hass ausgelöst werden. Der Vorteil semi-realer Dilemmas im Gegensatz zu realen Handlungssituationen liegt aus lernpsychologischer Sicht somit in der Steuerung des emotionalen Gehalts, die eine kognitive und emotionale Auseinandersetzung mit der Thematik überhaupt erst möglich macht (vgl. Lind, 2003, S. 78).

Pflegepädagogische Debatte

Mit der intentionalen Ausrichtung auf die Befähigung zum konstruktiven Widerspruch und der aktiven Reflexion von widersprüchlichen Handlungssituationen schließt der oben beschriebene Ansatz an Teilbereiche der pflegepädagogischen Debatte an. So erhebt Greb (2003) die berufliche Handlungsfähigkeit im Spannungsfeld widersprüchlicher Erwartungen zum grundlegenden fachdidaktischen Prinzip. Ziele und Inhalte des pflegeberuflichen Unterrichts leiten sich aus ihrer Sicht aus einem Strukturgitter divergierender Einflussgrößen ab, die auf das Pflegehandeln wirken. Die Dimensionen widersprüchlicher gesellschaftlicher, ökonomischer, fachlicher und personaler Einflussfaktoren müssten im Rahmen des Lernprozesses identifiziert und reflektiert werden.

Aus der noch überwiegenden traditionell fächerorientierten Perspektive werden ethisch-moralische Fragestellungen allerdings vielfach ausschließlich dem Ethikunterricht zugeordnet. Die situations- bzw. fallorientierte Perspektive stützt jedoch eher Grebs Prämisse, dass moralische Dilemmas in jedem Fall enthalten sein können.

In der pflegedidaktischen Literatur werden bereits verschiedene Fallbeschreibungen moralischer Dilemmas angeboten. So hat die Arbeitsgruppe »Pflege und Ethik« der Akademie für Ethik in der Medizin e. V. (2005) beispielsweise eine Fallsammlung vorgelegt, die das ethische Denken über moralisches Handeln in Pflege und Medizin unterstützen soll.

Das Verfahren als Teil der Lösung

Die Bedeutung von diskursiven Lösungsversuchen eines Dilemmas wie Falldiskussionen im Unterricht leiten sich nach Ansicht der Autorengruppe von der diskursethischen Annahme ab, dass das Verfahren Teil der Lösung ist.

»Die Akzeptanz einer Entscheidung oder eines Ergebnisses hängt offensichtlich sehr stark davon ab, ob die Beteiligten oder Betroffenen auch den Verfahrensweg, das Zustandekommen an sich akzeptieren können. In dem Versuch in gleichberechtigter Weise (in einem sogenannten herrschaftsfreien Diskurs) durch den Austausch vernünftiger Argumente zu einem für alle akzeptablen Ergebnis zu gelangen, liegt eine wesentliche Gemeinsamkeit der Theorie der Diskursethik und der ethischen Falldiskussion« (Giese, 2005, S. 161).

Bei der Arbeit mit den Fällen der Bandreihe »Pflege fallorientiert lernen und lehren« muss der »Dilemma-Kern« eines Fallgeschehens in der Regel zunächst herausgearbeitet werden.

Der folgende Beispielfall wurde von einer Studentin der Universität Kassel im Rahmen des Masterstudiengangs »Pädagogik für Pflege- und Gesundheitsberufe« entwickelt und zur Veröffentlichung in diesem Band freigegeben.

Ein ganz normaler Tag auf »der Inneren«

Es ist halb sieben an einem Montagmorgen. Du hast gerade die Übergabe der Nachtschicht erhalten und hast das Gefühl, du wärst besser heute einfach im Bett liegen geblieben. Drei Zimmer mit jeweils zwei Patienten, die an einem Monitor angeschlossen sind und rund um die Uhr Überwachung benötigen, warten nun auf dich. Du machst dir im Kopf schnell einen groben Plan, wie du am besten vorgehst, um auch nichts zu vergessen und damit jeder Patient gut versorgt ist. Du beginnst mit der Blutabnahme und Vitalzeichenkontrolle im ersten Zimmer. Du hast gerade den Stauschlauch angelegt und die Nadel angesetzt, als im Nachbarzimmer plötzlich der Monitor Alarm schlägt. Schnell öffnest du den Stauschlauch, verwirfst den Butterfly und rennst ins Nachbarzimmer... Du spürst, wie dein Herz anfängt schneller zu schlagen und dein Blut pulsiert... Du merkst, wie dir die Gedanken durch den Kopf schießen und dein Gesicht rot anläuft... Mal wieder Fehlalarm! ... Der Patient hatte nur eine Elektrode verloren. Du verspürst eine Erleichterung, lässt dir aber nichts anmerken und beruhigst die Patienten im Zimmer mit deiner sanften Stimme. Endlich hast du es geschafft und allen Blut abgenommen und die Vitalzeichen kontrolliert. So, »auf geht's!«, Schürze an, Waschschüssel in die Hand und im ersten Zimmer wird mit der Grundpflege des bettlägerigen Patienten begonnen! Leider hat sich dieser sehr stark eingekotet. Dies ist ihm sehr peinlich! Du versetzt dich in seine Lage und stellst einen Sichtschutz auf. Du beschwichtigst die Situation und sagst immer wieder, dass es nicht schlimm ist, jedoch verspürst du selbst ein Ekelgefühl... Du hast gerade angefangen und den Patienten auf die Seite gedreht und schon klingelt es im Nachbarzimmer. Du versorgst den Patienten so schnell du kannst, denn die nächste Patientin muss zur Toilette und kann nicht ohne Begleitung aufstehen. Das Stationstelefon klingelt auch noch. Die Röntgenabteilung ist dran und verlangt den bettlägerigen Patienten zum Röntgen-Thorax... Jetzt! ... Damit die Bilder für die Visite bereitstehen. Als du alles erledigt hast, gehst du ins nächste Zimmer und bist dort der Patientin am Waschbecken bei der Grundpflege behilflich. Plötzlich hörst du laute Männerstimmen aus dem Nachbarzimmer... Du schaust rüber und siehst, dass die Visite mal wieder ohne dich begonnen hat. Du wirst wieder nur die Hälfte mitbekommen. Frustriert ziehst du dich anschließend ins Stationszimmer zurück und arbeitest die Visite aus. Oh man... diese schrecklich Schrift, die kein Mensch entziffern kann! Du gehst in das Zimmer, in dem die Patientinnen liegen und merkst, dass eine Patientin in ihrem Bett sitzt und weint. Du nimmst dir einen Stuhl, setzt dich zu ihr ans Bett und reichst ihr ein Taschentuch... Du beginnst ein Gespräch mit ihr im Sinne der klientenzentrierten Gesprächsführung und schon wieder wirst du durch einen Anruf gestört... Du sollst einen Patienten aus der Notaufnahme abholen und aufnehmen, jedoch sollst du schnell dafür den anderen Patienten aus Zimmer 6 auf die Normalstation verlegen... Du entschuldigst dich bei der Patientin und eilst aus dem Zimmer.

Entlang der in den vorigen Kapiteln verwendeten didaktischen Analysekriterien handelt es sich bei dieser Darstellung um einen leichten Fall, weil sich das Dilemma der erzählenden Person überwiegend auf die Frage beziehen lässt, welche Handlungsanforderung Priorität hat. Das Dilemma, mehrere Aufgaben gleichzeitig bewältigen zu müssen, ist hier nicht mit weiteren pflege- oder medizinethischen Problemen kombiniert. Die spezifische Erzählperspektive fördert das emphatische Mitempfinden der Situation, deren Stressgehalt durch die stakkatoartige Erzählweise unterstrichen wird. Die inhaltliche Struktur wird von der Chronologie des Arbeitsablaufs geprägt und ist dadurch gut nachvollziehbar und realitätsnah.

Für den Einsatz im Rahmen einer Dilemmadiskussion im Unterricht hat die Arbeitsgruppe »Pflege und Ethik« der Akademie für Ethik in der Medizin e. V. (2005, S. 20 ff.) eine Matrix zur Analyse von Fallbeschreibungen entwickelt, die Lehrende bei der Planung unterstützen kann.

Matrix zur didaktischen Fallanalyse

- Art der Geschichte
  - Erzählperspektive
  - Ausführlichkeit
  - Ethisches Problem
  - Beteiligte
- Ethischer Problemgegenstand
- Didaktische Verwendbarkeit
- Zielgruppe
- Hinweise zur Bearbeitung

Die Analyse des oben stehenden Falls entlang dieser Matrix könnte folgendermaßen aussehen:

Art der Geschichte:
a) *Erzählperspektive:* Es handelt sich um eine konstruierte Szene, die auf Erfahrungen des klinischen Alltags und erlebten Interaktionen beruht (semi-real). Die Fallschilderung erfolgt in der zweiten Person Singular, wodurch sowohl Handlungen als auch Gedanken und Gefühle dargestellt sind.
b) *Ausführlichkeit:* Ausführliche Szenen mit vielen Details stehen neben den ethischen Elementen.
c) *Ethisches Problem:* Das ethische Problem muss herausgearbeitet werden.
d) *Beteiligte:* Hauptperson ist eine Pflegekraft. Sie handelt direkt mit verschiedenen Patienten und indirekt mit Ärzten und Funktionsabteilungen.

Ethischer Problemgegenstand:

- Dilemma, zwischen eigenem idealem Anspruch und beruflicher Wirklichkeit, die von beeinträchtigenden Sachzwängen geprägt ist

94

- Dilemma, zwischen gleichwichtigen Handlungsanforderungen Prioritäten setzen zu müssen
- Dilemma, zwischen persönlichem Erleben und professionellem Anspruch

Didaktische Verwendbarkeit:

- Nutzbar zur Darstellung der Probleme Zeitdruck und Zuwendung (TB 3)
- Bewusstmachen von Rollenkonflikten zwischen verschiedenen Berufsgruppen (TB 12)
- Nutzbar zur Einführung in die Thematik verantwortlich Prioritäten zu setzen, in verdichteten Arbeitssituationen (TB 2 und TB 7)

Zielgruppe:

- Pflegeschüler und Studierende pflegebezogener Studiengänge
- Medizinstudierende und Ärzte
- Pflegende aller Bereiche, Weiterbildungsstufen und Hierarchieebenen
- Andere Berufsgruppen im Krankenhaus

Hinweise zur Bearbeitung: Der Fall bietet eine gute Grundlage für eine Dilemmadiskussion.

3.6.3 Konstanzer Methode der Dilemmadiskussion

Im Folgenden wird der exemplarische Ablauf einer moralischen Dilemmadiskussion vorgestellt und auf das oben beschriebene Fallbeispiel bezogen. Im günstigen Fall dauert sie 80–100 Minuten und es sind ca. 15 Lernende beteiligt.

• Das Dilemma kennen lernen
• Probeabstimmung
• Meinungslager bilden
• Pro-Kontra-Debatte
• Rangreihen bilden
• Schlussabstimmung
• Evaluation

Exemplarisches Ablaufschema

Das Dilemma kennen lernen (Unterstützung im Plenum)
Zu Beginn der Unterrichtseinheit werden die Lernenden zunächst mit einem Fall konfrontiert, in dem ein Dilemma enthalten ist. Durch Handlungsformen wie Lesen und Nacherzählen nähern sie sich der spezifischen Situation an und identifizieren gemeinsam den Dilemma-Kern. Die zentralen Fragestellungen dieser Unterrichtsphase lauten:

- Was ist hier das moralische Problem?
- Mit welchen meiner eigenen Prinzipien treten Konflikte auf?

Bezogen auf den oben beschriebenen Fall ist darüber hinaus zu betonen, wie drängend schnelle Entscheidungen getroffen werden müssen. Durch die Auseinandersetzung mit diesen Aspekten werden die Lernenden mit den Fakten vertraut und lernen die Natur des moralischen Dilemmas kennen.

Probeabstimmung (Herausforderung in Pro-Kontra-Gruppen)
Im nächsten Schritt stimmt die Lerngrupe über die Frage ab:

- War das Verhalten der zentralen Person eher richtig oder eher falsch?

Hierdurch wird bewusst eine Polarisierung herbeigeführt, die die Gruppe in zwei Fraktionen spaltet, nämlich in eine Pro- und eine Kontra-Gruppe. Im günstigsten Fall kommt eine zahlenmäßig ausgewogene Verteilung in die beiden Lager zustande. Falls eine Position sehr stark unterrepräsentiert ist, kann man als Lehrperson eher unentschlossene oder Lernende mit einer ambivalenten Haltung ermutigen, in das schwächere Lager zu wechseln. Auf keinen Fall sollten Lernende jedoch eine Position vortäuschen, so dass lediglich eine Scheinkontroverse entsteht. Für den Lernerfolg ist es wichtig, dass jeder seine eigene Meinung vertritt und authentische Argumente vorbringt. So kann geübt werden, sich öffentlich mit einer Meinung zu einer Kontroverse zu exponieren und die Vielfalt von Meinungen zu einem Problem anzuerkennen. Bezogen auf den oben beschriebenen Fall können die Lernenden darüber hinaus den Unterschied zwischen einer Entscheidung unter Druck und einer druckfreien Meinungsbildung verstehen.

Meinungslager bilden (Unterstützung in Kleingruppen)
In jedem der beiden Lager werden Kleingruppen von 3 bis 4 Lernenden gebildet, die sich über ihre jeweilige Position zum Verhalten der im Fallbeispiel handelnden Person austauschen. Gemeinsam werden weitere unterstützende Argumente für diese Position gesucht und hinsichtlich ihrer Wichtigkeit bewertet. Das Ziel dieser Unterrichtphase ist die Erfahrung der Lernenden, dass andere Menschen, auch wenn sie nicht die eigenen Freunde sind, zur Unterstützung genutzt werden können. Sie können lernen, die eigene Position durch Begründungen zu stärken und zu erkennen, wie vielfältig Meinungen zu einem Sachverhalt sein können.

Pro-Kontra-Debatte (Herausforderung im Plenum)
Die ausführlichste Phase bildet die nun folgende Pro-Kontra-Diskussion, in der sich die beiden Meinungslager wieder als Pro- und Kontra-Gruppe im Plenum treffen. Hierbei ist besonders wichtig, dass die kommunikativen Verfahrensregeln eingehalten werden. Es ist die Aufgabe des Lehrenden diese Regeln einzuführen und zu überwachen bzw. wenn nötig immer wieder regulierend einzugreifen, um diese einzufordern.

Der Lehrende erläutert zunächst einleitend die wichtigsten Diskussions-regeln:

Diskussionsregeln

- Jedes Argument ist zulässig.
- Jeder darf ausreden.
- Keine Person darf angegriffen werden.
- Argumente oder Personen dürfen weder positiv noch negativ bewertet werden.
- Die Argumente sollen kurz und präzise formuliert sein.
- Die Lernenden erteilen sich gegenseitig das Wort.
- Der Lehrende beteiligt sich nicht an der Debatte, sondern überwacht lediglich die Verfahrensregeln.

Anschließend beginnt der Austausch der Argumente nach der Ping-Pong-Methode. Zunächst trägt ein Mitglied der kleineren Gruppe die eigene Meinung und die wichtigsten Gründe dafür vor. Nach diesem ersten Beitrag folgt eine Entgegnung eines Mitglieds der anderen Gruppe. Jeder Diskutant erteilt jeweils im Anschluss an sein Statement das Wort an einen Diskutanten der Gegenposition. Durch dieses Vorgehen wird vermieden, dass einzelne Lernende die Debatte dominieren und eher zurückhaltende Teilnehmende nicht zu Wort kommen. Die jeweils vorgebrachten Argumente werden an der Tafel oder einem anderen Medium zur Visualisierung dokumentiert. Die Pro-Kontra-Debatte ist beendet, wenn alle Meinungen und Begründungen genannt wurden.

Ping-Pong-Methode

Das Ziel dieser Phase ist es, den öffentlichen Diskurs eines wirklichen moralischen Problems schätzen zu lernen sowie die eigenen Argumente sachlich und pointiert vortragen zu lernen. Darüber hinaus kann die Differenzierung zwischen der Qualität eines Arguments und der Qualität einer Person eingeübt werden. Die Lernenden sollen erkennen, dass Argumente und deren Begründung durchaus unterschiedlich stark sein können, die dahinter stehende Person jedoch grundsätzlich zu respektieren ist.

Rangreihen bilden (Unterstützung in Pro-Kontra-Gruppen)
In der anschließenden Phase werden die dokumentierten Argumente bewertet und sortiert, indem jede Gruppe die Argumente der anderen in eine Rangreihe bringt. Die Reihung wird dabei von der Frage geleitet, welches die drei bis vier stärksten Argumente der Gegenseite sind. Dabei ist es sinnvoll, die Lernenden zunächst in einem ersten Schritt jeweils eine individuelle Rangreihung vornehmen zu lassen, damit diese Entscheidung ohne soziale Verzerrung durch den Austausch mit anderen getroffen werden kann. Erst im zweiten Schritt werden die einzelnen Rangreihungen verglichen und eine Einigung in der Gruppe herbeigeführt (vgl. Rabenstein et al., 1999, S. 2.C 18).

Die Lernenden sollen darüber hinaus bewusst reflektieren, welche Argumente sie besonders zum Nachdenken angeregt haben. Durch diesen Analyseschritt können sie lernen, dass Argumente eine unterschiedliche moralische Qualität haben können und die Erfahrung machen, dass gute Argumente auch von der Gegenseite kommen können.

Schlussabstimmung (Herausforderung im Plenum)

Nun erfolgt eine erneute Abstimmung über die eingangs gestellte Frage: War das Verhalten der Person im Dilemma eher richtig oder eher falsch? Hierdurch soll lediglich verdeutlicht werden, ob und inwiefern sich das Meinungsbild in der Lerngruppe verändert hat. Es soll jedoch nicht der missverständliche Eindruck entstehen, dass moralische Dilemmas durch Abstimmung gelöst werden können. Insofern ist es eine wichtige Aufgabe des Lehrenden, die Bedeutung der Abstimmung für die Bewältigung eines realen Dilemmas zu relativieren. Die Befähigung zur Dilemmadiskussion fördert zwar die ethisch-moralische Kompetenz, generiert jedoch keine Patentlösungen, die in der praktischen Anforderungssituation angewendet werden können. Den Lernenden muss klar sein, dass sie eventuell völlig neu entscheiden müssen, wie sie ein Problem lösen können, wenn sie in ein ähnliches Dilemma geraten, wie es im Fall geschildet ist.

Evaluation (Unterstützung im Plenum)

Zum Abschluss der Methode wird der zurückliegende Prozess auf der Metaebene betrachtet und ausgewertet. Fragende Impulse für einen solchen Austausch könnten folgende sein:

- Wie haben sie (die Lernenden) diesen Diskurs empfunden?
- Was haben sie daraus gelernt?
- Was war der Nutzen dieser Diskussion?
- Was empfanden sie als störend?

Dieser abschließende metakognitive Schritt fördert die Sensibilisierung der Lernenden für die eigene Methodenkompetenz und fördert die Übertragung ethisch-moralischer Kompetenz in echte berufliche Handlungssituationen.

Tab. 3.4: Ablaufschema der Konstanzer Methode der Dilemmadiskussion

Aktivität	Motivationsphase	Sozialform	ca. Dauer in Minuten
Das Dilemma kennen lernen	Unterstützung	Plenum	15
Probeabstimmung	Herausforderung	Pro-Kontra-Gruppen	15
Meinungslager bilden	Unterstützung	Kleingruppen	10
Pro-Kontra-Debatte	Herausforderung	Plenum	30
Rangreihen bilden	Unterstützung	Pro-Kontra-Gruppen	10
Schlussabstimmung	Herausforderung	Plenum	10
Metakognition	Unterstützung	Plenum	10

3.6.4 Gefahren und Herausforderungen der Dilemmadiskussion

Die Hauptgefahr beim Einsatz der Methode Dilemmadiskussion ist das Umkippen in eine Konfliktsituation. Üblicher Weise prägen Ziele, wie »Recht haben wollen« und damit eine Debatte »gewinnen« wollen, den kommunikativen Austausch über moralische Probleme. Insofern muss davon ausgegangen werden, dass die Lernenden (aber oft auch die Lehrenden) ungeübt in der sachlichen Debatte solcher Themen sind. Mit dem Abgleiten in einen Konflikt wird eine »nicht-partnerschaftliche« Ebene der Kommunikation eingenommen, die durch Formen der Manipulation, Unterdrückung und Machtausübung gekennzeichnet ist. Während die offenen Formen des Konflikts, die mit Beschimpfungen, Vorwürfen und Schuldzuweisungen oder Diffamierungen einhergehen, einfach zu erkennen sind, gibt es auch verschleierte sprachliche Formen der Manipulation. So kann es leicht zum verbalen Schlagabtausch kommen, in dem Killerphrasen[3] eingesetzt werden. Killerphrasen sind pauschale und abwertende Angriffe in einer Diskussion. Sie sind nicht an der Sache orientiert, sondern werden im Gegenteil vorzugsweise dann verwendet, wenn Sachargumente fehlen. Es geht somit eher um das Hervorkehren sozialer Dominanz bei sachlicher Unterlegenheit. Killerphrasen sind also Scheinargumente, die dazu dienen, Vorstellungen und Ideen des anderen als ungeeignet darzustellen, ohne es direkt auszusprechen. Sie sind eine Form konfrontativer Argumentation, die das Gegenüber als Person herabsetzt, ihn verunsichern, bloßstellen und mundtot machen soll.

Beispiele für Killerphrasen (vgl. Fittkau et al., 1994, S. 350):   **Killerphrasen**

- Als ... (Krankenschwester, Lehrer, Frau, Mann) ... müsstest du doch wissen, dass ...
- Du wirst zugeben, dass ...
- Es ist doch faktisch so, dass ...
- Auch du wirst nicht darum herum kommen ...
- Wissenschaftliche Ergebnisse haben gezeigt, dass ...
- Wie doch jeder weiß ...
- Die jetzige Situation fordert eindeutig ...
- Nur ... können in einer solchen Situation ...
- Das ist juristisch nicht machbar!
- Bekanntlich ist es so, dass ...
- etc.

---

3   Der Begriff »killer phrases« wurde vermutlich um 1958 von Charles H. Clark erstmals verwendet, indem er bei Brainstormings oder Konferenzen eine in der Mitte des Raums angebrachte Glocke läuten ließ, falls jemand mittels solcher Totschlagargumente den Ideenfluss bremsen wollte (Clark, 1958, S. 90 ff.).

Abwehrmöglichkeiten Es ist die Aufgabe des Lehrenden, den kommunikativen Prozess dahingehend zu steuern, dass Killerphrasen als ungeeignet erkannt und deshalb vermieden werden. Abwehrmöglichkeiten gegen solch destruktives kommunikatives Verhalten bestehen auf unterschiedlichen Ebenen. Zum Beispiel kann man im Rahmen der Antwort das Gespräch auf die Sachebene zurückführen. Sie kann dadurch umgeleitet und sogar in die Dienste des Verteidigers gestellt werden.

Beispiel Bezogen auf das oben genannte Beispiel könnte eine Killerphrase bei der Pro-Kontra-Debatte wie folgt lauten: »Wie doch jeder weiß, ist im Stationsablauf nicht genügend Zeit, um sich länger ans Bett einer Patientin zu setzen.«

Eine mögliche Antwort, die auf die Sachebene zurückführt, wäre: »Leider können wir hier nicht wissen und beurteilen, was jeder weiß, deshalb sollten wir uns darauf konzentrieren, welche Entscheidung im vorliegenden Fall getroffen werden kann.«

Eine weitere Abwehrmöglichkeit von Killerphrasen besteht in der Bitte um eine sachliche Präzisierung. Zum Beispiel könnte das folgende unterschwellig destruktive Argument vorgebracht werden: »Bekanntlich ist es doch so, dass man sich als Pflegekraft Ärger einhandelt, wenn man die Patienten nicht sofort aus der Notaufnahme abholt.«

Die Replik hierauf könnte lauten: »Können Sie genauer beschreiben, welche Art von Ärger Sie konkret meinen?«

Letztlich kann man unfairem rhetorischem Verhalten auch begegnen, indem eine metakommunikative Ebene eingenommen und die Killerphrase als solche thematisiert wird. In ihrer Rolle als Moderatorin kann die Lehrkraft eine solche Formulierung als Störung anmelden und die Gruppe selbst über die Unangemessenheit des Angriffs urteilen lassen.

Abschließend soll jedoch auch darauf hingewiesen werden, dass in einer Dilemmadiskussion eine Position so stark überwiegen kann, dass die Diskussion zu einer einseitigen Darstellung kippt (vgl. Mickel, 1999).

Zum Weiterlesen Gordon, T. (2000): Lehrer-Schüler-Konferenz. München: Heyne.
Arndt, M. (1996): Ethik denken – Maßstäbe zum Handeln in der Pflege. Stuttgart und New York: Thieme.

3.7 Hochschuldidaktische Implikationen der Fallarbeit

Wie bereits im ersten Kapitel aufgezeigt, zeichnet sich derzeit für die Pflegeausbildung eine Teil-Akademisierung ab. Das bedeutet, dass zukünftig ca. 10 % aller Pflegekräfte im Rahmen von Studiengängen an Hochschulen ausgebildet werden sollen (vgl. Bund-Länder-Arbeitsgruppe Weiterentwicklung der Pflegeberufe 2012; Wissenschaftsrat 2012). Die Akademisierung von Bildungswegen der Gesundheitsberufe ist eine Reaktion auf die quantitative Zunahme und qualitative Komplexitätssteigerung gesundheitlicher Problemlagen. Die partielle Verlagerung pflegeberuflicher Ausbildungsgänge von Berufsfachschulen an Hochschulen wird von der Berufsgruppe als Statusgewinn betrachtet und ein Mehrwert im Hinblick auf die kompetenzorientierte Fundierung der Ausbildung wird erwartet. Welche Konsequenzen hat die Einführung von erstqualifizierenden Pflegestudiengängen in didaktischer Hinsicht?

3.7.1 Forschendes Lernen

Hier ist zunächst zu fragen, was denn Hochschulbildung von Schulunterricht unterscheidet. In Anlehnung an Webler (2007) lassen sich folgende Unterscheidungsmerkmale benennen: Hochschulen lehren – wie Schulen – bereits abgesichertes Wissen, darüber hinaus aber auch neu entstehendes Wissen; damit wird Wissen generell als relativ und begrenzt gültig eingestuft. Hochschulen machen den Prozess der Erkenntnis deutlich stärker als Erfahrungsprozess erfahrbar als Schulen. Hochschulen vermitteln nicht nur die Ergebnisse und Erkenntnisse aus der Forschung, wie dies Schulen tun; sie zeigen zugleich die Methoden auf, mit denen diese generiert wurden und führen in die Anwendung dieser Methoden ein. In diesem Sinne ist Hochschullehre ein lebendiger wissenschaftlicher Diskurs (vgl. Webler, 2007).

Unterschiede Schule – Hochschule

Dieser grundlegende Unterschied wird häufig mit dem Begriff »forschendes Lernen« auf den Punkt gebracht. Forschendes Lernen wird dabei definiert als ein Lernen, das sich im Ablauf an den Schritten eines Forschungsprozesses orientiert, neues Wissen generiert und rückgebunden wird an eine Forschungs-/Lerngemeinschaft (vgl. Reiber/Trempp, 2007). In der didaktischen Umsetzung bedeutet dies, dass die Schritte in einem Forschungsprozess als Lernschritte aufgefasst werden (vgl. Huber, 1998; Wildt, 2009):

- Fragestellung entwickeln: Als Ausgangspunkt dient hier eine subjektiv bedeutsame Frage, die sich aus einschlägigen Praxiserfahrungen herleitet.
- Forschungsstand erheben: Recherchiert wird, welche Theorien, Modelle und empirischen Befunde zu der Fragestellung in den Leit- und Bezugsdisziplinen bereits vorliegen.
- Probleme definieren: Aus der Ausgangsfrage und vor dem Hintergrund des Forschungsstands wird nun das Problem so eingegrenzt und präzisiert, dass es als Ausgangspunkt für die nachfolgende Untersuchung genutzt werden kann.
- Vorgehen planen und Methoden auswählen: Der Plan, nach dem die Frage untersucht werden soll, soll klar begrenzt und realistisch sein sowie von den Studierenden mit eigener Kompetenz bewältigt werden können.

Schritte im Forschungs-/Lern-Prozess

- Untersuchung durchführen und auswerten: Die vorab ausgewählten Untersuchungsmethoden werden planmäßig durchgeführt und die erhobenen Daten ausgewertet.
- Erkenntnisse einordnen, bewerten, reflektieren: Die eigenständig erhobenen Daten werden verglichen mit den bereits vorliegenden Erkenntnissen und in Theorie- und Forschungsbestand der jeweiligen Fachwissenschaft eingeordnet; das eigene Vorgehen und die Reichwerte der eigenen Ergebnisse werden kritisch gewürdigt.
- Ergebnisse darstellen, erklären, publizieren: Beim forschenden Lernen finden diese abschließenden Rückkoppelungsschleifen an andere Forschende innerhalb der Lerngruppe statt.

Für die didaktische Ausgestaltung erweist sich die pragmatische Position des gemäßigten Konstruktivismus (vgl. Reinmann/Mandl, 2006) als besonders anschlussfähig:

Didaktische Prinzipien
- Problemorientiert: Ein Problem oder Fall ist Ausgangs- und Bezugspunkt des Lernens.
- Systematisch: Der Lehr-Lern-Prozess ist ein reflektiertes Vorgehen analog der Phasen eines Forschungsprozesses.
- Sozial kontextuiert: Prozess und Ergebnis des forschenden Lernens werden rückgebunden an die »Forschungsgemeinschaft«.
- Kritisch-konstruktiv: Das forschende Lernen beleuchtet disziplinäre, interdisziplinäre und gesellschaftliche Zusammenhänge von »Gesundheit«.
- Mehrdimensional: Diese Form des Lernens umfasst kognitive, emotionale und soziale Aspekte.

Konsequenzen Diese didaktischen Prinzipien sind sehr anspruchsvoll sowohl für die Lehrenden als auch für die Lernenden. Professorinnen und Professoren werden in diesem hochschuldidaktischen Format zu forschenden Lehrenden, die eine Vorbild- und Modellfunktion haben. Für die Studierenden bedeutet das forschende Lernen, dass sie sich zunächst auf die andere und teilweise neue Lehr-Lern-Logik von Hochschule umstellen. Diese Form des Lernens stellt die Lernenden vor die Herausforderung, Unsicherheiten und Unklarheiten zeitweise aushalten zu können und in hohem Maße Selbstverantwortung für das eigene Lernen zu übernehmen.

3.7.2 Evidenzbasierte Fallbearbeitung

In hochschuldidaktischer Hinsicht ist neben diesem grundsätzlichen Prinzip des forschenden Lernens eine weitere Unterscheidung zwischen berufsschulischer Ausbildung und Studium bedeutsam. Sie bezieht sich auf den Umgang mit dem Fall.

Um einen Fall verstehen und analysieren zu können, ist es erforderlich, die vorliegenden Daten auszuwerten und ggf. selbst weitere Informatio-

	Berufsfelddidaktik	Hochschuldidaktik
Fall durchdringen	Auf der Basis der fallbezogenen vorliegenden und selbst erhobenen Informationen und Daten	Zusätzlich: unter Hinzuziehung von Forschungsergebnissen
Fall bearbeiten	Gemäß der professionellen Standards	Zusätzlich: Evidenzbasierung

Tab. 3.5: Hochschul- versus Berufsfelddidaktik

nen zu erheben. Im Rahmen eines Studiums ist darüber hinaus zu erwarten, dass vorliegende Forschungsergebnisse ausgewertet werden, die dazu dienen können, den Fall noch besser durchdringen zu können. Bei der Fallbearbeitung wiederum wäre neben den professionellen Standards eine evidenzbasierte Vorgehensweise in einem Studium angemessen.

Als forschend Lernende recherchieren dabei die Studierenden nach der aus empirischer Sicht bestmöglichen Lösung für das im Fall beschriebene Problem. Für diesen Fall wird eine Lösung erarbeitet, die in den zu diesem Thema verfügbaren Forschungsstand (externe Evidenz) einbezogen wird und zugleich individuelles Wissen und Erfahrung aller Beteiligten (interne Evidenz) nutzt. Gleichermaßen werden auch die Rahmenbedingungen berücksichtigt (vgl. zu dem Prinzip der Evidenzbasierung z. B. Behrens/ Langer, 2010). Der aus der Fallbearbeitung resultierenden Handlungsstrategie liegt dabei eine Haltung zugrunde, die den Pflegeempfänger als Partner mit einer spezifischen Expertise in eigener Sache betrachtet und einbezieht (vgl. Reiber, 2011b).

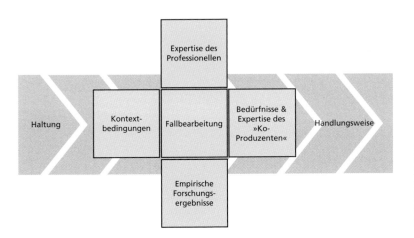

Abb. 3.8: Prinzip der evidenzbasierten Fallbearbeitung (eigene Darstellung in Anlehnung an Behrens/Langer, 2010, S. 28)

Neben der Hauptrolle als Experte werden bezogen auf die im Fall beinhalteten Probleme und den geplanten Problemlösungsprozess weitere Rollenaspekte herausgearbeitet, die im Rahmen der Fallbearbeitung relevant sind. Daraus lassen sich ggf. weitere Problemlösungsmaßnahmen ableiten.

Rollenaspekte

Reflexivität Begleitet wird diese Vorgehensweise von regelmäßiger Reflexion. Ergänzt wird dieses Schema durch Reflexionsschleifen, die die verschiedenen Rollenanteile zum Gegenstand haben. Reflektiert wird dabei das eigene Vorgehen und die fallbezogene Gewichtung und Ausgewogenheit der unterschiedlichen Rollenaspekte.

4 Fallarbeit als Brücke zwischen Theorie und Praxis

In Kapitel 2 wird bereits erklärt, dass fallbasierte Unterrichtsmethoden mit dem Ziel der Praxisnähe im theoretischen Teil der Ausbildung eingesetzt werden. Diese Anforderung erwächst aus der strukturellen Gliederung von akademischen und nicht-akademischen Ausbildungsprozessen in theoretische und praktische Lernphasen. Vor allem die Zieldimension der Entwicklung beruflicher Handlungskompetenz im Bereich der beruflichen Bildung erfordert methodische Konzepte, die pädagogisch begründbare Verfahren zur Verzahnung theoretischer und praktischer Ausbildungsanteile anbieten. Das Lernen an und mit Fällen stellt vor diesem Hintergrund einen Ansatz dar, der von den Potenzialen simulativer Verfahren ausgeht. Das Denken und Handeln in einer geschützten, fallbasierten »Als-ob-Situation« soll die Übertragung der hierin entwickelten Kompetenzen in reale Anwendungssituationen erleichtern. Insbesondere im Bereich der pflegeberuflichen Bildung (aber auch im Bereich anderer sozialer und personenbezogener Dienstleistungsberufe) erwächst allerdings aufgrund der spezifischen beruflichen Handlungsstruktur die Herausforderung, dass sich Handlungssituationen nie völlig gleichen. Lernende müssen deshalb befähigt werden, Ähnlichkeiten und Unterschiede zwischen der simulierten und einer jeweils echten Handlungssituation bzw. -anforderung zu erkennen. Auf der Basis dieses Wiederkennens müssen dann situationsrelevantes Wissen und Erfahrungen abgerufen und situationsspezifisch modifiziert werden (vgl. Ried, 2001; Benner, 2000).

Trotz der Realitätsnähe des Kompetenzerwerbs im Rahmen fallbasierter Methoden gelingt der Kompetenztransfer jedoch nicht unbedingt automatisch. Vielmehr muss dieser komplexe Übertragungsprozess didaktisch gesteuert und damit systematisch unterstützt werden. Hierfür muss einerseits das Lernen in theoretischen Ausbildungsphasen stärker an der Praxis orientiert werden, wie es beispielsweise mithilfe fallbasierten Unterrichts möglich ist. Auf der anderen Seite sollte in der praktischen Ausbildung eine stärkere Theorieorientierung z. B. durch Methoden des situierten Lernens stattfinden.

4.1 Ansätze situierten Lernens

Situiertes Lernen (*situated learning*) als soziale Theorie des Lernens geht davon aus, dass der Prozess des Lernens nur im sozialen Kontext stattfinden kann. Im Rahmen des beruflichen Lernens wird dieser aus der Gemeinschaft der Praktiker *»community of practice«* gebildet. Lernen erfolgt unter dieser Prämisse durch praktisches Handeln. Indem sich Lernende als sogenannte *»newcomer«* an der Praxis der sozialen Gemeinschaft beteiligen, erwerben sie selbstständig Kompetenz.

> Lernen vollzieht sich vor diesem Hintergrund als Erfahrung von Sinnhaftigkeit und Bedeutung des eigenen Tuns im Kontext der Gruppe und wirkt dadurch identitätsbildend.

Obwohl das Konzept des *situated learning* keine Definition der »Situation« bereithält, bietet es mit seiner Fokussierung der sozialen Interaktion im Prozess der praktischen Ausbildung wichtige Anhaltspunkte für dessen methodische Gestaltung. Im Kontext dieses Ansatzes werden demzufolge die folgenden drei Verfahren beschrieben (vgl. Issing/Klimsa, 1997, S. 168):

Methoden des situierten Lernens

- Anchored Instruction
- Cognitive Apprenticeship
- Cognitve Flexibilty Theory

Anchored Instruction

Anchored Instruction
Das zentrale Merkmal für diese Art von Lernumgebungen ist die narrative Verankerung von neuen Wissenskonzepten und Fertigkeiten in komplexen und konkreten Problemstellungen. Dieser narrative Anker soll bei den Lernenden ein Interesse am Lerngegenstand wecken sowie die Lernmotivation fördern. Weiterhin ermöglicht der narrative Anker die Identifizierung und Definition von Problemen sowie das eigene Verständnis der Lernenden für diese Art von Problemen. Den Lernenden werden die zu erlernenden Wissenskonzepte und Fertigkeiten situiert vorgestellt (vgl. Mandl/Kopp/Dvorak, 2004, S. 18).

Cognitive Apprenticeship

Cognitive Apprenticeship
Der Cognitive Apprenticeship-Ansatz basiert auf Erkenntnissen der Novizen-Experten-Forschung, die sich mit den Unterschieden des Wahrnehmens, Denkens und Handelns auf verschiedenen Kompetenzstufen beschäftigt. Hierbei sind die strategischen Abläufe des Denkens und Problemlösungsheurismen besonders von Interesse. Der Ansatz orientiert sich in erster Linie an der Lehre in einem traditionellen Handwerk (deswegen der Begriff »Apprenticeship«). In der deutschsprachigen Literatur wird auch die Bezeichnung »kognitive Meisterlehre« oder »kognitive Lehre« verwendet.

Der Ansatz zielt darauf ab, die Kompetenz von Experten im Ausbildungsprozess lernförderlich einzusetzen. Da das Expertenwissen stark an Situationen gebunden ist und die Lernenden die Entscheidungsprozesse des Experten nur sehr schwer nachvollziehen können, bilden authentische Lernaufgaben und die dazugehörigen instruktionalen Sequenzen den Kern dieses Ansatzes (vgl. Gruber/Mandl/Renkl, 2000, S. 145).

Für die Pflegepädagogik greift Ried (2001) diesen Ansatz erstmals auf und konzeptualisiert ihn als geeignetes Verfahren zur Förderung des Wissenstransfers im Rahmen der Krankenpflegeausbildung.

Cognitive Flexibility Theory

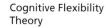

Cognitive Flexibility Theory

Das Konzept der Cognitive Flexibility hat das Ziel, kontextabhängiges Wissen übertragbar zu machen. In der deutschsprachigen Literatur wird auch die Bezeichnung »kognitive Flexibilität« verwendet. Eine wichtige Forderung dieses Ansatzes hinsichtlich der Gestaltung von Lernumgebungen ist es, die Übervereinfachung zu vermeiden. Stattdessen sollen die Lernenden von Anfang an mit der Komplexität und der Irregularität des realen Lebens vertraut gemacht werden. Um den Aufbau solcher flexibler Wissensstrukturen zu unterstützen, werden z. B. Falldarstellungen sowie die Technik des sogenannten »Lands Criss-Crossing« verwendet. Dies bedeutet, dass dasselbe Konzept zu verschiedenen Zeiten und in verschiedenen Kontexten unter jeweils veränderten Zielsetzungen und aus verschiedenen Perspektiven beleuchtet wird (vgl. Mandl/Gruber/Renkl, 2002, S. 145).

Aus den oben skizzierten methodischen Ansätzen des situierten Lernens lassen sich Anknüpfungspunkte für die mögliche Weiterführung der Fallarbeit aus dem theoretischen Teil der Ausbildung finden. An dieser Stelle wird der Cognitive Apprenticeship-Ansatz exemplarisch aufgegriffen, um daran zu illustrieren, welche Möglichkeiten der hierin enthaltene Einsatz von Lernaufgaben bietet.

4.2 Einsatz von Lernaufgaben

Das Konzept der Lernaufgaben wurde im Rahmen berufspädagogischer Modellprojekte zum Erwerb wissensbasierter Problemlösungskompetenz entwickelt (vgl. Schröder, 2009). Die hierin gewonnenen Erkenntnisse sind auch in die pflegepädagogische Diskussion zum Wissenstransfer zwischen Theorie und Praxis eingeflossen, wo sie Anschluss an Konzepte des situierten Lernens bzw. des problemorientierten Lernens sowie Formen der Fallarbeit bieten (vgl. Holoch, 2002, S. 64 f.; Müller, 2005).

»Lernaufgaben stellen eine Möglichkeit dar, die praktische Ausbildung zu systematisieren, indem sie Lernprozesse zu bestimmten Themen oder Fragestellungen gezielt einleiten und direkt im Arbeitshandeln verorten« (Wilke-Schnaufer et al., 1998, S. 114 ff.).

Die lerntheoretische Bedeutung von Lernaufgaben liegt in ihrem Potenzial, subjektive Erfahrungen und Strategien situations- und problembezogen zu aktivieren und in direkten Handlungssituationen mit erlerntem Wissen in Bezug zu setzen.

> »Durch Reflexion und Versprachlichung werden die Konsequenzen des durchlaufenen Lernprozesses für das eigene Handeln konkretisiert und begründet, neue Handlungsstrategien können nachhaltig verankert werden« (Schonhard, 1998, S. 114).

Eine Lernaufgabe besteht in der Bearbeitung eines realen Arbeitsauftrags aus dem beruflichen Handlungsfeld. Sie ergeben sich somit nicht direkt aus den curricularen Ausbildungsinhalten, die in Lehrplänen oder Modulhandbüchern vorgegeben sind, sondern werden aus berufsrelevanten bzw. berufstypischen Handlungssituationen generiert (vgl. Schwarz-Govaers, 2001). Demzufolge kann die Entwicklung von geeigneten Lernaufgaben entweder in enger Kooperation zwischen Ausbildungsverantwortlichen der theoretischen und praktischen Phase erfolgen oder im Kontext selbstgesteuerten Lernens von Lernenden im Praxisfeld identifiziert und bearbeitet werden.

Insbesondere die Aufgabenidentifikation durch die Lernenden selbst bietet Anknüpfungsmöglichkeiten an fallbasierte Methoden des Unterrichts. Beispielsweise können pflegerische Routinen und Standards, die beim Lernen mit Falllösungen bearbeitet werden, in reale Situationen übertragen und dadurch Handlungssicherheit erworben werden.

Im Rahmen der Fallarbeit mit dem Ansatz des POL oder der Methode nach Kaiser werden fallbezogene Lösungen gefunden und Entscheidungen getroffen, die nicht nahtlos in echte Situationen übertragen werden können. Es lassen sich vom simulierten Fall und seiner Lösung jedoch ähnliche Problemformate oder Entscheidungsrahmen abstrahieren, die im Feld der Handlungspraxis identifiziert und zu Lernaufgaben umgeformt werden können. Zum Beispiel bietet die Fallbearbeitung von »Bennos Bauch heilt nicht« (in ▶ Kap. 3.3) mit der Methode POL eine Grundlage für Lernaufgaben mit ähnlichen Problemschwerpunkten. Probleme wie die individuelle Gestaltung von Isolationsmaßnahmen oder der

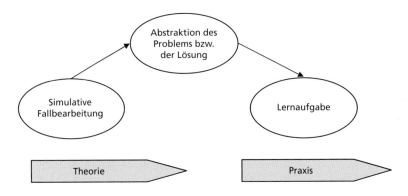

Abb. 4.1:
Von der Fallbearbeitung zur Lernaufgabe

Umgang mit Patienten, bei denen postoperative Komplikationen eingetreten sind, würden sich in Fortführung des Fallbeispiels anbieten.

Der Einsatz von Lernaufgaben setzt allerdings voraus, dass die beteiligten Akteure, also Lehrende aus Theorie und Praxis sowie die Lernenden mit der Methode der Lernaufgabe vertraut sind.

Um die Bandbreite der Einsatzmöglichkeiten fallbasierter Methoden aufzuzeigen, wird deren Fortführung in der Praxis im Folgenden anhand eines Beispiels aus der pflegebezogenen Weiterbildung illustriert. Im Bereich Pflegemanagement können beispielsweise im theoretischen Teil Probleme und Entscheidungen zum Thema Dienstplangestaltung fallbasiert bearbeitet werden. Die erworbenen Kompetenzen können dann als Lernaufgabe im dazugehörigen Praktikum weiter vertieft und spezifiziert werden. Dazu wird im Folgenden exemplarisch beschrieben, wie eine solche Lernaufgabe entwickelt wird und wie deren Durchführung verlaufen kann. Strukturell setzt sich eine Lernaufgabe aus den folgenden Elementen zusammen:

Beispiel Dienstplangestaltung

- Themengebiet und Thema
- Kommentar
- Ziele
- Annäherung
- Durchführung
- Erörterung

Entwicklung von Lernaufgaben

Themengebiet und Thema
Unter der Rubrik »Themengebiet« erfolgt zunächst eine Zuordnung zu einem berufstypischen Aufgabenbereich, der unter der Rubrik »Thema« hinsichtlich der tatsächlichen Anforderungssituation spezifiziert wird.

Beispiel:
Themengebiet: Personalmanagement
Thema: Erstellung eines Dienstplans für die Station 4 B für den Zeitraum vom 01.06.–31.06.20xx

Kommentar
Im Kommentar werden die Einbettung und die Relevanz der Lernaufgabe in den Kontext der beruflichen Handlungen erklärt. Der konkrete Arbeitsauftrag wird fallbezogen verdeutlicht. Er bildet zusammen mit den Zielen die Basis für die Zusammenarbeit zwischen dem Studierenden und dem Mentor.

Beispiel:
Die pflegepersonelle Besetzung einer Station (eines Wohnbereichs) gehört in den Verantwortungsbereich des Leitungspersonals und dient der Sicherstellung der pflegerischen Versorgung der Patienten (Bewohner). Bei der Bewältigung dieser Aufgabe sind verschiedene Interessen zu berücksichtigen, die von Bedeutung sind:

- Bedeutung hinsichtlich der Unternehmensziele
- Bedeutung hinsichtlich der Bedürfnisse der Mitarbeiter
- Bedeutung hinsichtlich der Zusammenarbeit im pflegerischen und im interdisziplinären Team
- Bedeutung hinsichtlich der Bedürfnisse der Patienten

Bei der Dienstplangestaltung im Juni müssen die personelle Besetzung an den Feiertagen und die Wünsche einiger Mitarbeiter hinsichtlich des Urlaubs an sog. Brückentagen berücksichtigt werden.

Ziele
Im Rahmen von Zielformulierungen wird genau fokussiert, was durch die Bearbeitung der Lernaufgabe gelernt werden kann. Dies wird in Form von intendierten Lernergebnissen formuliert.

Beispiel:
Bei der Bearbeitung dieser Aufgabe lernen Sie, eine Dienstplanung für den o.g. Zeitraum zu erstellen, in dem das zu erwartende Arbeitsaufkommen, alle relevanten dienst- und arbeitsrechtlichen Rahmenbedingungen sowie individuelle Mitarbeiterwünsche berücksichtigt werden.

Sie lernen Software zur Erstellung von Dienstplänen kennen und wenden diese an.

Sie lernen arbeitszeitrelevante Entscheidungen in Absprache mit den Mitarbeitern zu treffen.

Sie reflektieren Entscheidungssituationen, in denen sie widersprüchliche Interessen abwägen und zielorientiert mit Mitarbeitern aushandeln müssen.

Annäherung
Im Schritt der Annäherung soll eine bewusste Auseinandersetzung mit bereits vorhandenen Erfahrungen und Strategien erfolgen. Zur Analyse ähnlicher Anforderungssituationen werden Leitfragen formuliert, die der Erinnerung und dem berufsrelevanten Transfer solcher subjektiver Vorerfahrungen dienen.

Beispiel:
Bitte erinnern Sie sich an eine Situation in Ihrem Leben, in der Sie ein konkretes Ereignis planen mussten, bei der verschiedene Regelungen, begrenzte Mittel und verschiedene Interessen zu berücksichtigen waren. Ein Beispiel für eine solche Situation könnte eine längere Reise in einer größeren Gruppe oder ein Fest mit vielen Gästen sein. In dieser Situation hatten Sie das Gefühl, dass Sie Kompromisslösungen finden mussten, da Sie es nicht jedem recht machen konnten. Manche in der Situation waren zufrieden mit Ihrer Planung, andere waren enttäuscht.

- Um welche Situation handelt es sich genau?
- Wie sind Sie bezüglich der Beschaffung fehlender Informationen vorgegangen?

- Anhand welcher Kriterien haben Sie Entscheidungen getroffen?
- Wie sind Sie mit widersprüchlichen Bedürfnissen und Erwartungen umgegangen?
- Was hat Ihnen bei der Entscheidungsfindung und bei der Aushandlung von Kompromissen geholfen?
- Wie sind Sie mit Enttäuschung über Ihre Entscheidungen oder mit Widerständen umgegangen?

Durchführung
Der relativ abstrakte Arbeitsauftrag der Lernaufgabe muss u. U. für die Bearbeitung mithilfe der Mentorin konkretisiert werden. Gegebenenfalls muss das Zeitmanagement abgesprochen und je dach dem Umfang der Aufgabe eine Gliederung in Teilaufträge vorgenommen werden.

Beispiel:
Besprechen Sie mit Ihrer Mentorin, welcher Zeitrahmen Ihnen zur Erstellung des Dienstplans zur Verfügung steht und wann Sie den Computerarbeitsplatz benutzen können. Bringen Sie in Erfahrung, welche hierarchischen Ebenen und welche Gewohnheiten und Besonderheiten in der betreffenden Abteilung bei der Dienstplangestaltung zu beachten sind. Sprechen Sie gemeinsam mit Ihrer Mentorin bereits erstellte Dienstpläne durch und klären Sie auftretende Fragen.

Erörterung
Ziel der Erörterung ist es, die durchgeführte Handlung auszuwerten, den Arbeits- und Lernprozess zu reflektieren.

Beispiel:

- Wie haben Sie sich in dieser Situation gefühlt? Was haben Sie erlebt?
- Wie sind Sie bei der Bewältigung der Aufgabe vorgegangen?
- Welche Interessen mussten bei der Bewältigung der Aufgabe berücksichtigt werden?
- Was ist Ihnen leicht gefallen und wo haben sich Probleme ergeben?
- Wie sind Sie mit der Planungssoftware klar gekommen? Welche IT-Kompetenzen haben Sie hinzugewonnen?
- Wie sind Sie mit Informationslücken umgegangen? Woher haben Sie Informationen erhalten?
- Was hat Ihnen in dieser Situation bei der Entscheidungsfindung und bei der Aushandlung von Kompromissen geholfen?
- Wie sind die Gespräche bezüglich der Dienstplangestaltung verlaufen? Wie haben Sie diese begonnen, worum ging es und wie wurden diese beendet?
- Wie sind Sie mit Enttäuschung über Ihre Entscheidungen oder mit Widerständen umgegangen?
- Wie haben sich die betroffenen Mitarbeiter Ihrer Ansicht nach gefühlt?

- Welche Aspekte bei der Dienstplangestaltung werden Sie zukünftig vorrangig beachten?
- Was würden Sie beim nächsten Mal anders machen?

Bearbeitung von Lernaufgaben

Neben der Aufgabenentwicklung ist deren strukturierte Bearbeitung methodisch bedeutsam. Sie erfolgt in fünf Schritten (Vgl. Müller, 2005, S. 689):

Bearbeitung in 5 Schritten

- Zielorientierung
- Vorbereitung der Bearbeitung
- Bearbeitung/Durchführung
- Kontrolle und Vertiefung/Erörterung
- Festigung und Verallgemeinerung

1. Zielorientierung
- Themenstellung sowie Kommentar und Ziele der Aufgabe werden mit der Mentorin besprochen.
- Die Aufgabe wird an die Studierende übertragen.
- Die Mentorin orientiert sich über die Lernvoraussetzungen wie Vorkenntnisse, Vorerfahrungen, Motivation oder Ängste des Studierenden, um das Mentoring individuell gestalten zu können.

2. Vorbereitung der Bearbeitung
- Die Annäherung der Lernaufgabe wird bearbeitet.
- Ermittlung des persönlichen Referenzrahmens.
- Nötiges Fachwissen wird besprochen und ggf. erweitert.
- Planung der Arbeitsschritte.
- Gewünschte oder notwendige Unterstützung wird vereinbart.
- Materialien, Informationen, Beteiligung von Kollegen wird organisiert.
- Freiräume für die Bearbeitung schaffen.

3. Bearbeitung/Durchführung
- Der Studierende führt die Aufgabe durch.
- Die Mentorin steht für Rückfragen zur Verfügung.

4. Kontrolle und Vertiefung/Erörterung
- Erörterung entlang eines Fragenkatalogs (s. o.) im Gespräch zur Unterstützung der Bildung einer subjektiven Handlungstheorie.
- Erlebnisse und Erfahrungen des Studierenden werden verbalisiert.
- Die Wahrnehmung anderer beteiligter Personen sowie die der Mentorin werden mit hinzugezogen.
- Analyse und Bewertung der durchgeführten Aufgabe.

- Querverbindungen zu ähnlichen Aufgaben werden hergestellt.
- Konsequenzen für weiteres berufliches Handeln werden formuliert.

5. Festigung und Verallgemeinerung
- Nachhaltige Verankerung der neuen Handlungsstrategien.
- Bewusste Übertragung des Gelernten auf neue Handlungssituationen.
- Diskussion möglicher Veränderungen des beruflichen Verhaltens.

Im Aus- oder Weiterbildungsprozess bzw. im Studium wird aus organi- **Organisatorische** satorischer Sicht mit der Einführung von Lernaufgaben ein konzeptionel- **Verankerung** ler Rahmen geschaffen, der eine systematische, transparente und kompetenzorientierte Unterstützung der Lernenden im Praxisfeld ermöglicht. Gleichzeitig erfordert diese Methode jedoch das Vorhandensein grundlegender Kooperationsstrukturen wie ein Praxisanleiter- oder Mentorensystem. Nur so kann gewährleistet werden, dass die methodischen Ansätze des situierten Lernens wie z. B. Lernaufgaben umgesetzt werden können. Anderenfalls besteht die Gefahr, dass solche Lernstrategien lediglich als störende Fremdkörper im arbeitsorientierten Praxisalltag wirken.

Euler, D., Hahn, A. (2007): Lehren arrangieren: Mit welchen Methoden kann das **Zum Weiterlesen** Lernen gefördert werden? In: Euler, D., Hahn, A. (Hrsg.): Wirtschaftsdidaktik, 2. Aufl. Bern, Stuttgart, Wien: UTB.

4.3 Portfolio: Möglichkeiten der Dokumentation und Reflexion

Werden Lernaufgabe kontinuierlich zur Weiterführung der Fallarbeit in den Praxisphasen pflegeberuflicher Bildungsprozesse eingesetzt, kann deren Nutzen durch systematische Portfolioarbeit gesteigert werden.

Ein Portfolio ist eine Sammlung von Artefakten von recherchierten Dokumenten, Entwürfen und eigenen Arbeiten, die durch die aktive Auseinandersetzung mit einem Thema entsteht und Aufschlüsse über den durchlaufenen Lernprozess liefern kann. Dies ist insbesondere dann der Fall, wenn der Lernende eigene Reflexionen hinzufügt. Vor dem Anlegen eines Portfolios werden in der Regel gemeinsam Ziele und Kriterien formuliert, an denen sich die Lernenden für ihre Portfolioarbeit orientieren können. Am Ende oder bereits im Prozess einer Portfolioarbeit werden die hierin gesammelten Ergebnisse in einem geeigneten Rahmen in der Theorie- oder Praxisphase präsentiert und diskutiert. Es lassen sich zwei verschiedene Typen von Portfolios unterschieden, die sich in Anspruch und Zielsetzung unterscheiden, nämlich das Entwicklungsportfolio und das Bewertungsportfolio.

Die Potenziale von Entwicklungsportfolios werden vor diesem Hin- **Potenziale der** tergrund in einer erhöhten Selbststeuerung und Eigenverantwortung im **Portfolioarbeit**

Lernprozess gesehen. Als Reflexionsinstrumente bieten sie eine Basis zu Reflexion individueller Prozesse, Ergebnisse und Lernfortschritte der Lernenden. Sie sind aber auch ein Koordinationsinstrument, um die Vielfalt der Informationen und Anforderungen des Lernens im Prozess der Arbeit zu bewältigen. Sie unterstützen insofern das projektorientierte Arbeiten. Sie können jedoch auch Bewertungsportfolios werden, indem mit ihnen eine Kompetenzdarstellung erfolgt, die zur Bewertung von berufsrelevanten Handlungskompetenzen herangezogen werden.

Als Methode unterstützen Portfolios selbstgesteuertes und kooperatives Arbeiten und Lernen und ermöglichen den Aufbau sekundärer Lernstrategien. Dem Lernenden wird Verantwortung zugewiesen, was seine Selbstständigkeit im Lernprozess fördert. Durch das Portfolio wird die Verarbeitung des Gelernten unterstützt. Denn die Portfolioarbeit ist eine Auszeit, in der sich der Lernende Gedanken über das Gelernte und über seine eigenen Stärken und Schwächen in sozialer und fachlicher Hinsicht macht. Darüber hinaus wird dem Lernenden die Möglichkeit gegeben, als Ergänzung zum Zeugnis seinen schulischen Werdegang mithilfe eines Portfolios zu belegen.

Entkoppelung von Lern- und Prüfungssituation Es ist jedoch darauf zu achten, dass die beiden Portfolioansätze nicht vermischt werden, da Situationen, in denen das Lernen im Zentrum steht, andere Verhaltens- und Bewältigungsmuster bei Lernenden erfordern als solche, in denen Leistungen gemessen und bewertet werden. Eine Vermischung von Lern- und Prüfungssituation führt zu einer Verunsicherung der Lernenden, die das Lernen hemmen kann. Eine scharfe Trennung des Einsatzes und der Handhabung der beiden Portfoliotypen, des Entwicklungs- und Bewertungsportfolios, ist aus diesem Grund notwendig (vgl. Ruf, 2011, S. 60 ff.).

Mappe oder ePortfolio Portfolios können sowohl schriftlich, z. B. als Mappen, als auch elektronisch angelegt und geführt werden. Die zweite Variante birgt neben den oben beschriebenen Potenzialen die Möglichkeit der interaktiven Vernetzung, so dass der kontinuierliche Austausch mit anderen Lernenden über Prozesse und Ergebnisse der Arbeit mit Lernaufgaben möglich ist. Darüber hinaus kann die Portfolioarbeit mithilfe von elektronischen Portfolios leichter von Lehrenden verschiedener Lernorte wie Schule oder Hochschule und Praxisfeld begleitet werden.

Mahara Mithilfe von Mahara (mahara.de) können beispielsweise individuelle ePortfolios zusammengestellt werden. Als persönliche kostenfreie Lernumgebung (PLE = Personal Learning Environment) ergänzt Mahara darüber hinaus den Einsatz einer Lernplattform wie Moodle. Die einfache Verknüpfung beider Werkzeuge unterstützt zeitgemäße Lernprozesse ideal.

Zum Weiterlesen Brunner, I. (2011): Das Handbuch Portfolioarbeit. Seelze-Velber: Kallmeyer Klett-Verlag.

5 Potenziale für die Schulentwicklung

Diesen didaktischen Begleitband der Reihe »Pflege fallorientiert lernen und lehren« abschließend werden im folgenden Kapitel die Potenziale der fallorientierten Didaktik für Unterrichts- und Schulentwicklung in Aussicht gestellt.

5.1 Fallorientierte Didaktik als Beitrag zur Unterrichtsentwicklung

Unterrichtsentwicklung zielt darauf ab, die Qualität von Unterricht weiterzuentwickeln, indem sich die Lernwirksamkeit erhöht: »Die Qualität des Unterrichts bestimmt sich danach, welche Bildungsziele tatsächlich erreicht wurden« (Helmke, 2006, S. 44). Hierzu gibt die empirische Bildungsforschung Auskunft.

Nach Auswertung zahlreicher Studien zur Unterrichtsqualität lassen sich drei Hauptmerkmale benennen, die grundlegend sind für Unterrichtserfolg und Lernfortschritt (vgl. Klieme, 2006; Klieme, 2007; Klieme/ Rakoczy, 2008; Lipowsky, 2007; Helmke et al., 2007):

- Strukturierte, klare und störungspräventive Unterrichtsführung
- Unterstützendes, schülerorientiertes Sozialklima
- Kognitive Aktivierung

Strukturierte, klare und störungspräventive Unterrichtsführung

Dieses Merkmal umfasst die beiden Aspekte Strukturierung und Steuerung von Unterricht. Die Strukturierung und Klarheit von Unterricht wird erreicht, indem der Unterricht in eine Abfolge von Phasen und Schritten unterteilt ist, die sich an der Logik des Lernens orientiert. Sinnvollerweise ist dieses schrittweise Vorgehen auch für die Lernenden nachvollziehbar. Trotz dieser Zerlegung des Unterrichts in einzelne Sequenzen soll der sinnbildende Gesamtzusammenhang erkennbar bleiben: Die einzelnen Schritte müssen dazu rückbezogen werden auf den »roten Faden«.

Die Steuerung des Unterrichts hat zum Ziel, Störungen zu vermeiden, damit die Unterrichtszeit möglichst effektiv als Lernzeit genutzt werden kann. Regeln, Rituale und Routinen können dabei helfen, stets die fachlich-inhaltliche Seite des Unterrichts im Blick und Vordergrund zu behalten.

Strukturierung von Unterricht trägt zum Lernerfolg bei, weil die Lernenden mithilfe dieser Struktur ihr Wissen systematisch erwerben und erweitern können. Die Steuerung im Unterricht wirkt motivationsfördernd, da die Lernenden mehr Erfolgserlebnisse haben, wenn die Unterrichtsstörungen gering sind.

Unterstützendes, schülerorientiertes Sozialklima

Für das Unterrichtsklima ist ein wertschätzender, von gegenseitigem Respekt getragener Umgang wichtig. Von Vorteil können hier fest vereinbarte Gruppenregeln sein, die den Umgang miteinander klären und regeln.

Schülerorientierung bedeutet, dass der Unterricht an die Lernvoraussetzungen, Erfahrungen und Interessen der Lernenden anknüpft. Für die Schülerorientierung ist es weiterhin hilfreich, wenn die Lernenden regelmäßig eine Rückmeldung dazu erhalten, wie ihr Lernfortschritt aus Sicht der Lehrenden bewertet wird.

Das Unterrichtsklima ist bedeutsam für die Motivation der Lernenden und wirkt sich darüber positiv auf das Lernen aus.

Kognitive Aktivierung

Darunter versteht die Unterrichtsforschung, dass Lernende dazu angeregt werden, sich intensiv mit den Unterrichtsinhalten auseinanderzusetzen. Wichtig ist dafür, dass die Lernenden sich immer wieder fachbezogen austauschen. Als besonders lernwirksam hat es sich erwiesen, wenn Lernende dazu angeregt werden, ihre Lösungswege und -ergebnisse unter der Frage, welche Lernstrategie erfolgreicher war, miteinander zu vergleichen. Nicht nur eigene Lösungen können und sollen gegeneinander abgewogen werden, auch unterschiedliche Meinungen und Theorien, die es in einem Fach zu bestimmten Themen gibt, sollten von den Lernenden gegenüber gestellt werden. Die dabei zentrale Fragestellung lautet: Was erscheint einleuchtend und ist hilfreich zur Erklärung eines Sachverhalts?

Wenn der Unterricht eine hohe kognitive Aktivierung aufweist, trägt das – wie die Strukturierung – dazu bei, dass die Lernenden ihr Wissen systematisch aufbauen.

Angebot-Nutzungs-Modell

Ausgangs- und Bezugspunkt dieser Forschungsergebnisse in ein Unterrichtsmodell, das davon ausgeht, dass Unterricht Bildungsangebote bereitstellt, die von den Lernenden individuell genutzt werden. Wie die Lernenden dieses Angebot nutzen, hängt von vielen Faktoren ab. Es wird hauptsächlich durch Faktoren bestimmt, die Lernende als Person und Persönlichkeit, aber auch aufgrund ihrer Vorerfahrungen sowie ihrer Bildungsbiografie mitbringen. Darüber hinaus spielt auch die Herkunft der Lernenden eine Rolle. Die Ausgestaltung der Angebotsseite, also konkret des Unterrichts, ist insbesondere, aber nicht nur von den Lehrenden, ihrem Wissen, Know-How und ihren Einstellungen abhängig. Einflüsse der Rahmenbedingungen, wie z. B. schulische Gegebenheiten, fließen hier mit ein. Die Zusammensetzung der Lerngruppe ist ein weiterer wichtiger Einflussfaktor für das Lernangebot, also den Unterricht (vgl. z. B. Lipowsky, 2007; Klieme, 2008). Dieses Angebots-Nutzungs-Modell überwindet also die traditionelle Vorstellung von Unterricht, wonach Lehren automatisch Lernen nach sich zieht. Vielmehr bedeutet Lehren, Bildungs- und Lernangebote zu gestalten, deren Nutzung in hohem Maße von den Lernenden abhängig ist. Dies erklärt u. a., warum ein und derselbe Unterricht bei jedem Lernenden zu einem anderen Lernergebnis führen kann.

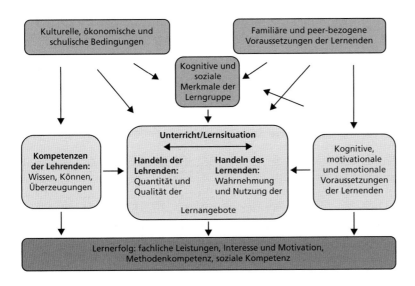

Abb. 5.1:
Vereinfachtes Angebots-Nutzungs-Modell (eigene Darstellung, in Anlehnung an Lipowsky, 2007, S. 27)

Wie lässt sich nun die fallorientierte Didaktik hier einordnen?

Lernangebot »Fall«

Die Fallbearbeitung – mithilfe welcher Methode auch immer – gibt eine klare Struktur vor. Der Fall wird entlang klar definierter Lösungsschritte bearbeitet und gelöst. Dafür gibt es für viele methodische Herangehensweisen auch bestimmte Regeln, wie z. B. beim POL oder bei der Fallarbeit nach Kaiser, bei dem jeder Einzelne einen Beitrag zur Lösung leisten muss. Damit kann das erste Qualitätsmerkmal gut abgebildet werden. Die Fälle regen die Lernenden dazu an, das eigene Vorwissen zu aktivieren. Da sie häufig einen Bezug zur eigenen Praxiserfahrung der Lernenden herstellen, wird auch an die subjektiven Vorerfahrungen angeknüpft. Die Methodenvielfalt, die im Rahmen der Fallbearbeitung eingesetzt werden kann, bietet darüber hinaus gute Voraussetzungen für eine kooperative und wertschätzende Zusammenarbeit. Die vielfältigen Formen der Zusammenarbeit der Lernenden regen sie dazu an, ihre Denk- und Lösungsstrategien miteinander zu vergleichen. Insofern kann mithilfe fallbasierter

Methoden ein unterstützendes und schülerorientiertes Sozialklima entwickelt werden. Gleichzeitig wird auch das dritte Merkmal, die kognitive Aktivierung durch die eigenständige Bearbeitung von Fällen eingelöst.

Unterrichtsentwicklung in erweitertem Sinn

Bezieht man Unterrichtsentwicklung nicht nur auf die Gestaltung der Lernangebote, in dem vorab vorgetragenen Sinn, dann umfasst sie auch Aktivitäten außerhalb des Klassenzimmers/Unterrichts:

> »Unterrichtsentwicklung umfasst die Gesamtheit *der systematischen Anstrengungen*, die darauf gerichtet sind, die Unterrichtspraxis im Sinne eines sinnhaften und effizienten Lernens zu optimieren, das sich im Wechselspiel von angeleiteter und selbstständiger Arbeit vollzieht« (Rolff, 2007, S. 73, Hervorhebungen im Original).

Rolff (a. a. O.) beschreibt als die drei Eckpunkte von Unterrichtsentwicklung, deren systematisches und teamorientiertes Vorgehen sowie ihre schulweite, d. h. systemumfassende Wirksamkeit. Die hier vorgelegte fallorientierte Didaktik kann für eine Unterrichtsentwicklung in diesem erweiterten Sinne genutzt werden.

Systematisch
Die konsequente Weiterentwicklung der Pflegeausbildung am Lernort Schule über die fallorientierte Didaktik kann als Veränderungsprozess angelegt werden, für den im Kollegium Ziele definiert und entsprechende Umsetzungsschritte geplant werden. Ein vorläufiger Endzeitpunkt wird dafür festgelegt, der jedoch eher den Charakter eines Meilensteins hat: Die bisherigen Aktivitäten und ihre Ergebnisse sowie Nebenwirkungen werden ausgewertet und die nächsten Entwicklungsschritte geplant.

Teamorientiert
Ein so umfassender Veränderungsprozess macht es erforderlich, dass im Team Abstimmungsprozesse stattfinden, um ein gemeinsames Vorgehen zu gewährleisten. Das Ziel dabei ist sicher nicht, die begründeten individuellen Unterschiede der verschiedenen Lehrerpersönlichkeiten und ihrem jeweiligen Stil zu vereinheitlichen. Vielmehr sollte gewährleistet werden, dass eine Übereinstimmung im Team hinsichtlich der didaktischen Prinzipien besteht. Im Sinne von Unterrichtsentwicklung wäre es also durchaus wünschenswert, dass das gesamte Kollegium sich dazu entschließt, mit Fällen im Unterricht zu arbeiten und wie diese gezielt didaktisch eingesetzt werden. Individuelle und situationsbezogene Handlungsspielräume sollten erhalten bleiben.

Schulweit
Schulentwicklung als systemumfassender Prozess bedeutet, dass nicht nur das Kerngeschäft Unterricht in die Veränderung einbezogen wird. Vielmehr sollten auch die Unterstützungsprozesse daraufhin überprüft werden, ob sie die fallorientierte Didaktik unterstützen. Davon berührt können beispielsweise Fragen der Unterrichts- und Stundenplanung sein, um z. B. größere Zeitfenster für eine problemorientierte Fallbearbeitung zu gewinnen. Darüber hinaus kann sich ein Handlungsbedarf hinsichtlich der medialen Ausstattung ergeben oder im Hinblick auf die Raumnutzung: Zur Umsetzung einer fallorientierten Didaktik können ausreichend Lernecken mit flexiblem Mobiliar zum ungestörten Arbeiten und für die

Ergebnissicherung Moderationsmaterial oder auch Tablet-PCs hilfreich sein. Weitreichende Auswirkungen wird die Einführung der fallorientierten Didaktik in Pflegeausbildung/-studium auch auf die praktische Ausbildung in den Praxiseinsätze haben (▶ Kap. 4).

5.2 Fallorientierte Didaktik im Zirkel der Unterrichtsentwicklung

Unterrichtsentwicklung als systematischer, teamorientierter und system-umfassender Prozess lässt sich als Kreismodell darstellen, in dem einzelne Schritte aufeinander folgen. Ausgehend von den anfänglich definierten Zielen wird ein planmäßiges Vorgehen festgelegt, mit welchen Maßnahmen und in welchen zeitlichen Schritten diese Ziele erreicht werden sollen. In einem daran anschließenden Schritt werden dann die Methoden trainiert, die das vorab geschnürte Maßnahmenpaket beinhaltet. Nach dieser Vorbereitungsphase findet die Umsetzung der Maßnahmen im Rahmen unterrichtsbezogener Teamarbeit statt. Ergänzend dazu können weitere Trainingseinheiten zur Festigung und Vertiefung bereits erlernter Methoden oder zum Erwerb eines erweiterten Methodenrepertoires erfolgen. Die unterrichtsbezogene Teamarbeit wird über die Teams hinaus vernetzt, so dass die einzelnen teambezogenen Maßnahmen aufeinander abgestimmt werden und im engen Bezug zu der Gesamtzielsetzung stehen. Der Zirkel endet (vorläufig) mit einer Evaluation, in der der Prozess und seine Ergebnisse mit Blick auf die eingangs formulierten Ziele ausgewertet werden. Daraus können nun neue Zielsetzungen resultieren, die wiederum in der gleichen schrittweisen Vorgehensweise umgesetzt werden (vgl. Holtappels, 2009).

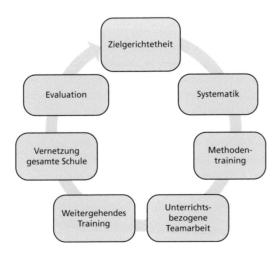

Abb. 5.2:
Zirkel der Unterrichtsentwicklung (nach Holtappels, 2009, S. 590, eigene Darstellung)

119

Ziele Mithilfe dieses Zirkels der Unterrichtsentwicklung kann die Einführung einer fallorientierten Didaktik umgesetzt werden. Dazu ist es zunächst einmal wichtig, die übergeordneten Ziele zu bestimmen und zu präzisieren. Für die Pflegeausbildung sind das u. a. die Leitziele der Handlungs- und Kompetenzorientierung, die zur Leitlinie der Unterrichtsentwicklung werden. Hinzu kommen weitere Leitziele, die im Zusammenhang stehen mit dem Leitbild und der Konzeption der jeweiligen Schule/Hochschule. Die Leitziele sollten soweit operationalisiert werden, dass sie in der abschließenden Evaluation auch überprüfbar sind.

Systematik Im Schritt »Systematik« erfolgt die Planung der Umsetzungsschritte. Bezogen auf die Ziele wird hier festgelegt, mit welcher Art Fälle gearbeitet werden soll und welche Komplexitätsgrade dabei zu unterscheiden sind. Dabei ist zu bedenken, dass eine fallorientierte Didaktik sicher nicht mit Durchlaufen eines Zyklus` umgesetzt werden kann und dass es sinnvoll sein kann, hier schrittweise vorzugehen: So kann in einem ersten Zirkel der Unterrichtsentwicklung zunächst die Arbeit mit wenig komplexen Fällen und Musterlösungen eingeführt werden und sich in weiteren Zyklen der Unterrichtsentwicklung die Komplexität der Fälle und methodische Virtuosität ihrer Bearbeitung steigern.

Methodentraining Passend zu dieser Systematik kann dann in einem weiteren Schritt das Methodentraining stattfinden. Viele der in Kapitel 4 vorgestellten Methoden, wie z. B. das problemorientierte Lernen, die biografieorientierte Fallbesprechung oder auch das szenische Spiel können nicht als selbstverständlicher Bestandteil des Methodenrepertoires der Lehrenden vorausgesetzt werden und müssen zunächst eingeführt werden.

Unterrichtsbezogene Teamentwicklung und weitergehendes Training Im Schritt »unterrichtsbezogene Teamentwicklung« kann bei der Einführung von fallbasiertem Unterricht so vorgegangen werden, dass kleinere Teams Fälle gemeinsam entwickeln oder aus einer Fallsammlung auswählen und deren didaktische Umsetzung im Unterricht gemeinsam planen. Ergänzend dazu können weitere Methodentrainings zur Konsolidierung neuer Methoden oder auch zum Erwerb weiterer Methoden erfolgen.

Vernetzung Ganz wichtig sind dann Rückkoppelungsschleifen der kleinen Teams in das gesamte Schulteam: Sowohl die Fälle als auch die Anwendung der Methoden sollen hier ausgetauscht werden, um die Erfahrungen damit wechselseitig zu erschließen. Diese Auswertung bildet bereits den Übergang zur Evaluation, in der insgesamt ermittelt wird, ob und inwieweit die eingangs gesteckten Ziele erreicht wurden.

Evaluation Hier ist dann auch zu klären, welche neuen Ziele auf dem Weg zu einer fallorientierten Didaktik zu erreichen sind und in welchen Schritten diese angegangen werden. Wichtig erscheint es dabei, Veränderungen auch immer erst einmal wirksam werden zu lassen, bevor wieder neue Veränderungen angestoßen werden. Damit wechseln sich Reform- und Konsolidierungsphasen ab und es entsteht nicht zu viel Unruhe durch zu schnell aufeinander folgende Change Prozesse, was sowohl für Lehrende als auch für Lernende zur Überforderung werden kann!

5.3 Unterrichtsentwicklung durch mehrperspektivische Evaluation

Neben den Methoden, denen im Rahmen der Unterrichtsentwicklung durch fallorientierte Didaktik eine zentrale Rolle zukommt, kann gerade auch die Evaluation gezielt zur Unterrichtsentwicklung genutzt werden. Aufgrund der weitreichenden Veränderungen für alle Beteiligten – Lehrende, Lernende, das gesamte Team – bietet es sich an, alle diese Akteursperspektiven in die Evaluation einzubeziehen. Die zuvor vorgestellten Qualitätsmerkmale von Unterricht bilden das Fundament des Verfahrens. Auf dieser Basis wird Evaluation hier im Anschluss an Helmke et al. (2011) als mehrperspektivisches Feedback konzipiert, das unterschiedliche Sichtweisen in die Auswertung der Veränderungsprozesse einbezieht. Während sich die Blickrichtungen unterscheiden und sich jeweils ergänzen, bleiben die Merkmale von Unterrichtsqualität, auf die sie sich beziehen, dieselben. So ist ein »Abgleich von Perspektiven« (Helmke et al., 2011, S. 4) möglich (vgl. zu dieser Adaption des Verfahrens von Helmke et al. auf die Pflegeausbildung Reiber/Wesselborg, 2012).

Während die Evaluation im Sinne einer Rückmeldung der Lernenden an die Lehrenden inzwischen weit verbreitet ist, findet eine systematische Selbstevaluation eher selten statt. Auch die kollegiale Rückmeldung innerhalb des Schulteams bezogen auf Unterrichtspraxis ist nicht der Regelfall. Insofern ist dieses Verfahren ebenso innovativ wie ertragreich! Ganz wichtig ist hier der Dialog der beteiligten Personen: Übereinstimmende und abweichende Einschätzungen können und sollen diskutiert werden. _Rückmeldung_

Die zuvor vorgestellten Merkmale guten Unterrichts können als Ausgangspunkt einer teaminternen Diskussion genutzt werden, um einen Fragebogen für die Evaluation zu entwickeln, der zur Schulstruktur und der pädagogischen Konzeption passt. Dieser Fragebogen muss in drei verschiedenen Formen vorliegen: Ein Fragebogen wird benötigt für die Selbstevaluation, einer ist für den den Unterricht beobachtenden Kollegen und der dritte für die Lernenden. Es handelt sich dabei jedoch nur um sprachliche Variationen in der Formulierung der einzelnen Fragen – die zugrundeliegenden Qualitätsmerkmale von Unterricht sind genau dieselben! _Fragebogen_

Für die Durchführung dieser Form von Evaluation empfiehlt es sich, im Kollegium Tandems zu bilden, die sich gegenseitig im Unterricht hospitieren und Feedback geben. Bei der Tandembildung ist es sinnvoll, dass diese themenbezogen, jedoch fächerübergreifend gebildet werden, um sowohl die fachliche und fachdidaktische als auch die didaktische Unterrichtsentwicklung zu fördern. Auch eine Öffnung gegenüber den Praxiseinrichtungen ist hier prinzipiell möglich und denkbar; themenbezogene Tandems können ebenfalls zwischen Lehrenden und Praxisanleitenden gebildet werden. Nach einer ausgewählten Unterrichtseinheit, in deren Verlauf der Tandempartner den Unterricht des Kollegen hospitiert, füllen der unterrichtende Lehrende, die Lernenden und der hospitierende Kollege den jeweiligen Fragebogen aus. _Durchführung_

121

Einschätzungsperspektiven											
Kognitive Aktivierung			Mittelwertsprofil								
Ausprägungsmerkmale		Verteilung der Antworten	1: stimme nicht zu/2:stimme eher nicht zu/ 3: stimme eher zu/4: stimme zu								
		Lernende (1, 2, 3, 4)	N	- -☐- - Lernende - -●- - Lehrende - -◆- - Kolleg-/in							
				1	1,5	2	2,5	3	3,5	4	
1	Item 1	2 2 7 4	15				◆		☐●		
2	Item 2	1 2 5 7	15					☐◆		●	
3	Item 3	5 4 3 3	15		☐		●		◆		
4	Item 4	5 1 8 1	15		☐	◆●					

Abb. 5.3: Vorlage für die dialogische Auswertung (eigene Darstellung in Anlehnung an Helmke et al., 2011, S. 5–6)

Auswertung

Nach der Auswertung der Fragebögen werden die übereinander gelegten Profillinien im Hinblick auf gemeinsame und unterschiedliche Einschätzungen der drei Perspektiven diskutiert. Da auch die Lernendenperspektive nicht in allen Punkten eindeutig sein und Streuungen aufweisen wird, können in diesem Auswertungsgespräch auch diese Unterschiede innerhalb der Lerngruppe besprochen werden. Jeder einzelne Auszubildende erhält zugleich indirekt eine wichtige Rückmeldung über das eigene Lernverhalten durch den Vergleich der eigenen Einschätzung mit der der anderen. Die Evaluationstandems zusammenführend kann dann wiederum im gesamten Lehrendenkollegium überlegt werden, was die einzelnen Fälle und Erfahrungen für die Unterrichtsqualität insgesamt bedeuten und welche Maßnahmen zur Unterrichtsentwicklung daraus abzuleiten sind (vgl. Reiber/Wesselborg, 2012).

5.4 Von der Unterrichts- zur Schulentwicklung

Von diesem erweiterten Verständnis von Unterrichtsentwicklung ist es nicht weit, weiterreichende Veränderungsprozesse zu initiieren. Kernelement der Schulentwicklung ist »die Einführung einer neuen Praxis durch Erfinden, Erproben oder Erneuern« (Rolff, 2010, S. 36) als Weiterentwicklung der gesamten Institution Schule. Neben der Unterrichtsentwicklung, die im letzten Abschnitt thematisiert wurde, zählen dazu die Organisationsentwicklung und die Personalentwicklung.

Organisationsentwicklung

Die Auswirkungen auf die gesamte Organisation Schule sind in Kapitel 5.1 bereits angeklungen. Organisationsentwicklung bedeutet hier, dass sich sowohl die Organisation Schule als auch die in ihr tätigen Men-

schen lernend auf den Weg machen, um planmäßig Verbesserungen um-
zusetzen. Dazu muss natürlich zunächst einmal erhoben werden, wo es
überhaupt einen Veränderungsbedarf gibt. Auch hier sind wieder Ziele in
dem Sinne zu definieren, die der zukünftige verbesserte Zustand beschrieben werden kann sowie die Schritte zu planen, um die gewünschten Veränderungen zu erreichen. Auch hier dient die Evaluation der Aktivitäten
dazu, die Zielerreichung zu überprüfen und weitere Entwicklungsschritte
zu planen.

Die fallorientierte Didaktik kann und möchte nicht für sich beanspru-
chen, Organisationsentwicklung in diesem umfassenden Sinne zu initiieren. Gleichwohl kann sie als *eine* Strategie genutzt werden, um die
Organisation Pflegeschule bzw. Hochschule zu einem höheren Maß an
Kompetenz- und Handlungsorientierung weiterzuentwickeln.

Aufgrund der »überragenden Bedeutung von Personen im pädagogischen Prozess« (Rolff, 2010, S. 32) sollte Schulentwicklung immer auch
Personalentwicklung sein: »Personalentwicklung meint ein Gesamtkon-
zept, das Personalfortbildung, Personalführung und Personalförderung
umfasst« (Rolff, 2010, S. 33). Der Fortbildungsaspekt wurde in Kapitel 5.2 unter dem Stichwort »Methodentraining« bereits aufgegriffen.
Im Sinne einer umfassenden Personalentwicklung sollte die Personalfortbildung jedoch über ein reines Methodentraining hinausgehen. Weitere
personenorientierte Maßnahmen sind sinnvoll, um den Lehrenden Möglichkeiten zur Persönlichkeitsentwicklung bereitzustellen. Dazu könnten
beispielsweise Angebote zählen, in denen Lehrende ihre Rolle als Lehrer
und ggf. auch ihre veränderte Rolle als Lernbegleiter reflektieren. Der Aspekt »Personalführung« im Rahmen von Personalentwicklung bedeutet,
dass die Leitungspersonen mit ganzer Überzeugung hinter dem Veränderungsprozess stehen müssen und sich für ihn verantwortlich fühlen. Zwar
teilen sie diese Verantwortung mit dem Team, sie sind jedoch die Mul-
tiplikatoren und Schlüsselpersonen in diesem Prozess. Möglicherweise
beinhaltet die Schulentwicklung auch eine Veränderung im Leitungs-
verständnis und -verhalten, z.B. von einem hierarchisch betonten Verständnis hin zu mehr Partizipation im gesamten Schulteam. Die Personalförderung umfasst die Maßnahmen, die – über die klassische Fortbildung
hinaus – dazu beitragen, dass die Mitglieder des Schulteams zufrieden an
und mit ihrem Arbeitsplatz sind. Dazu können auch äußere Rahmenbedingungen und deren Verbesserung beitragen.

Das Anlegen einer Fallsammlung ist sicher ein längeres und aufwän-
diges Vorhaben, kann aber mit Blick auf die Organisationsentwicklung
sehr lohnend sein. Hundenborn (2007) beschreibt in Anlehnung an Belz
(2002) folgende Vorteile für die eigene Fallentwicklung:

- selbst entwickelte Fälle können gut an die Lernvoraussetzungen ange-
  passt werden;
- es können reale Fälle didaktisch aufbereitet werden;
- die Fallkonstruktion im Schulteam trägt zur Kompetenzentwicklung
  der Lehrenden bei.

Personalentwicklung

Fallsammlung

123

Analog zu der oben mehrfach aufgeführten Zielorientierung ist es auch bei der Fallkonstruktion unabdingbar, die Fälle in Beziehung zu setzen zu den curricularen Zielen. Weiterhin ist zu klären, ob der Fall deduktiv oder induktiv eingesetzt werden soll. Im ersten Fall folgt der Fall auf bereits erarbeitete Inhalte (Theorien, Modelle und Konzepte) und dient zu deren Illustration. Bei der induktiven Vorgehensweise wird umgekehrt das Wissen entlang eines vorab vorgestellten und eingeführten Falls erarbeitet (vgl. Hundenborn, 2007). Mit dieser Entwicklungsarbeit sind also vielfältige Aushandlungsprozesse des Schulteams verbunden, die über diese konkreten curricularen und didaktischen Fragen immer wieder einen Konsens herstellen müssen!

Fallkonstruktion mit den Praxiseinrichtungen

Im Sinne von Organisationsentwicklung kann das Anlegen einer Fallsammlung auch über den Lernort Schule hinausreichen. Hundenborn (2007) beschreibt das Anlegen einer Fallsammlung in Zusammenarbeit mit dem Lernort Praxis als Beitrag zur Lernortkooperation. Ggf. ist es sinnvoll, wenn die Lehrenden in der Praxis zunächst die Ziele der Fallarbeit und deren Potenzial für Kompetenz- und Handlungsorientierung erläutern. Der Zugang zu möglichen Kooperationspartnern in den Praxiseinrichtungen sollte über die Leitungsebene gewählt werden. Weiterhin kann es hilfreich sein, die Vertraulichkeit im Umgang mit den zu erhebenden Daten zuzusichern: Jeder reale Fall wird so verfremdet, dass keine Personen damit in Verbindung gebracht werden können. Konkret können zur Gewinnung und Erhebung von Fallmaterial Leitfragen genutzt werden. Aus einem daraus gewonnenen Fall-Rohentwurf kann dann schrittweise ein Fall so aufbereitet werden, dass er didaktisch genutzt werden kann. Damit die daraus entstehende Fallsammlung auch von Lehrenden genutzt werden kann, die nicht an der Fallkonstruktion beteiligt waren, ist es sinnvoll, eine Anleitung für Dozenten zu erstellen, die »Hinweise für den Umgang mit dem Fall und für die Begleitung der Lerngruppe« (Hundenborn, 2007, S. 200) enthält.

Fallkonstruktion aus den Praxiserfahrungen der Lernenden

Natürlich können auch die Lernenden in die Fallentwicklung mit einbezogen werden: Selbst erlebte Situationen aus der Praxis mit einem Problempotenzial können dabei genutzt werden. Zur Erhebung des Fallmaterials wird den Lernenden ein thematischer Fokus vorgegeben, zu dem sie Fallbeispiele einbringen können. Bereits die Rückfragen der anderen Lernenden tragen dazu bei, dass die Falldarstellung alle wichtigen und nötigen Informationen enthält. Die Lernenden können dabei sogar in die Dokumentation der so im Lehr-Lern-Prozess aufbereiteten realen Fälle einbezogen werden. In einem Wechsel von Gruppenarbeit und Plenum können die Falldarstellungen dabei so verfeinert werden, dass sie nach einer didaktischen Überarbeitung in die Fallsammlung integriert werden können (vgl. Hundenborn, 2007).

Sowohl die Einbeziehung der Praxiseinrichtungen als auch die Aufbereitung von Fällen, die die Lernenden konkret erlebt haben, haben ein hohes Potenzial für die Organisationentwicklung. Unterschiedliche Akteursperspektiven werden im Dialog aufeinander bezogen und eine grundsätzliche Übereinstimmung im Hinblick auf Sinn und Zweck der Ausbildung wird gefördert.

124

Literatur

Arbeitsgruppe »Pflege und Ethik« der Akademie für Ethik in der Medizin e. V. (2005): »Für alle Fälle ...«. Hannover: Brigitte Kunz Verlag.

Bader, R., Müller, M. (Hrsg.) (2004): Unterrichtsgestaltung nach dem Lernfeldkonzept. Bielefeld: Bertelsmann.

Becker, G. E. (1998): Unterricht auswerten und beurteilen. Weinheim und Basel: Beltz.

Becker, G. E. (1994): Planung von Unterricht. Weinheim und Basel: Beltz.

Becker, W. (Hrsg.) (2006): Ausbildung in den Pflegeberufen, Band 2. Bonn: BIBB.

Becker, W., Meifort, B. (1995): Pflege als Beruf. Ein Berufsfeld in der Entwicklung. Bielefeld: Bertelsmann.

Behrendt, B., Tremp, P., Voss, H.-P., Wildt, J. (Hrsg.) (2012): Neues Handbuch Hochschullehre. 44. Ergänzungslieferung, I 2.9. Berlin: Raabe.

Behrendt, B., Tremp, P., Voss, H.-P., Wildt, J. (Hrsg.) (2010): Neues Handbuch Hochschullehre. 44. Ergänzungslieferung, A 1.3. Berlin: Raabe.

Behrens, J., Langer, G. (2010): Evidence-based Nursing and Caring. Interpretativ-hermeneutische und statistische Methoden für tägliche Pflegeentscheidungen. Vertrauensbildende Entzauberung der »Wissenschaft«. 3. Aufl. Bern: Huber.

Belz, F.-M. (2002): Entwicklung von Fallstudien für die Lehre. St. Gallen: Institut für Wirtschaftspädagogik der Universität St. Gallen.

Benner, P., Tanner, C. A., Chesla, C. A. (2000): Pflegeexperten. Bern, Göttingen, Toronto, Seattle: Huber.

Berkemeyer, N., Bos, W., Manitius, V., Müthing, K. (Hrsg.) (2008): Unterrichtsentwicklung in Netzwerken. Konzeptionen, Befunde, Perspektiven. Münster: Waxmann.

Bischoff-Wanner, C. (2003): Bedingungen schulischer Lernmotivation – Klassische und neuere Ansätze und ihre Bedeutung für den Lehr-Lernprozess. In: Falk, J., Kerres, A. (Hrsg.): Didaktik und Methodik der Pflegepädagogik. Weinheim und München: Juventa.

Blömeke, S., Bohl, T., Haag, L., Lang-Wojtasik, G., Sacher, W. (Hrsg.) (2009): Handbuch Schule. Theorie – Organisation – Entwicklung. Bad Heilbrunn: UTB-Verlag.

Bögemann-Großheim, E. (2002): Die berufliche Ausbildung von Krankenpflegekräften. Frankfurt a. M.: Mabuse.

Bögemann-Grossheim, E., Brendel, S., Handgraaf, M. (1999): Problem-based-Learning – eine pädagogische Antwort auf neue Herausforderungen in der Krankenpflege. In: Pflegepädagogik Nr. 2, Jg. 99, S. 4–11.

Bohl, T., Helsper, W., Holtappels, H. G., Schelle, C. (Hrsg.) (2010): Handbuch Schulentwicklung. Bad Heilbrunn: Klinkhardt/utb.

Brobst, R. A., Georg, J. (Hrsg.) (2007): Der Pflegeprozeß in der Praxis. Aus dem amerikan. von Elisabeth Brock. Deutschsprachige Ausgabe. 2. Aufl. Bern: Huber.

Bundesinstitut für Berufsbildung – BIBB (Hrsg.) (2011): Ausbildungsordnungen und wie sie entstehen. Bonn 2011. Verfügbar unter: http://www.bibb.de/¬veroeffentlichungen/de/publication/show/id/2061 [31.07.2013].

Bund-Länder-Arbeitsgruppe Weiterentwicklung der Pflegeberufe (2012): Eckpunkte zur Vorbereitung des Entwurfs eines neues Pflegeberufsgesetzes. Verfügbar unter: http://www.bmg.bund.de/fileadmin/dateien/Downloads/P/Pflege¬

beruf/20120301_Endfassung_Eckpunktepapier_Weiterentwicklung_der_Pfle¬
geberufe.pdf [31.07.2013].

Clark, C. (1958): Brainstorming: the dynamic new way to create successful ideas.
New York: Garden City.

Clement, U. (2003): Berufliche Bildung zwischen Erkenntnis und Erfahrung. Balt-
mannsweiler: Schneider-Verlag.

Darmann, I. (2005): Pflegeberufliche Schlüsselprobleme als Ausgangspunkt für die
Planung von fächerintegrativen Unterrichtseinheiten du Lernsituationen. In:
PrInterNet 06, S. 329–335.

Darmann-Finck, I. (2010): Eckpunkte einer Interaktionistischen Pflegepädagogik.
In: Ertl-Schmuck, R., Fichtmüller, F. (Hrsg.): Theorien und Modelle der Pflegedidaktik. Weinheim und München: Belz Juventa, S. 13–54.

Darmann-Finck, I. (2006): »Und es wird immer so empfohlen« – Bildungskonzepte
und Pflegekompetenz. In: Pflege Nr. 19, Jg. 3, S. 188–196.

de Jong, A., Landenberger, M. (2005): Ausbildung der Pflege- und Gesundheitsberufe in den Niederlanden. In: Landenberger, M., Stöcker, G., Filkins, J., de
Jong, A., Them, C, Selinger, Y. (Hrsg.): Ausbildung der Pflegeberufe in Europa.
Vergleichende Analyse und Vorbilder für eine Weiterentwicklung in Deutschland. Hannover: Schlütersche, S. 111–137.

Deutscher Bildungsrat für Pflegeberufe (DBR) (Hrsg.) (2008): Pflegebildung offen-
siv [Eckpunkte]: Das Bildungskonzept des Deutschen Bildungsrates für Pflegeberufe 2006. Göttingen: Elsevier, Urban & Fischer.

Dewey, J. (2002): Logik. Die Theorie der Forschung. Frankfurt a. M.: Suhrkamp.

Dieterich, J. (2013): Ergebnisorientierte Schulcurricula – Matrix zur Formulierung
und Evaluation von Lernergebnissen für den Bereich pflegeberuflicher Bildung.
In: Pflegewissenschaft Nr. 4, Jg. 13, S. 208–215.

Dörner, D. (1976): Problemlösen als Informationsverarbeitung. Stuttgart: Kohlhammer.

Edelmann, W. (1996): Lernpsychologie. Weinheim: Beltz.

Ertl-Schmuck, R. (2003): Pflegedidaktsiche Modelle – Einschätzungen und Perspektiven. In: Falk, J., Kerres, A. (Hrsg.): Didaktik und Methodik der Pflegepädagogik. Weinheim und München: Juventa.

Ertl-Schmuck, R., Fichtmüller, F. (Hrsg.) (2010): Theorien und Modelle der Pflegedidaktik. Weinheim und München: Belz Juventa.

Falk, J. (2010): Methoden selbst gesteuerten Lernens für Gesundheits- und Pflegeberufe. Weinheim und München: Beltz.

Falk, J., Kerres, A. (Hrsg.) (2003): Didaktik und Methodik der Pflegepädagogik.
Weinheim und München: Juventa.

Fichtmüller, F., Walter, A. (2007): Pflegen lernen. Göttingen: V&R Unipress.

Fischer, R. (2004): Problemorientiertes Lernen in Theorie und Praxis. Stuttgart:
Kohlhammer.

Fittkau, B. (1994): Kommunikationstraining für Lehrer. In: Fittkau, B., Müller-
Wolf, H.-M., Schulz von Thun, F. (Hrsg.): Kommunizieren lernen (und umlernen). Aachen-Hahn: Westermann.

Fittkau, B., Müller-Wolf, H.-M., Schulz von Thun, F. (1994): Kommunizieren
lernen (und umlernen). Aachen: Hahner.

Frackmann, M., Tärre, M. (2009): Lernen und Problemlösen in der beruflichen
Bildung. Bielefeld: Bertelsmann.

Frank, J. R. (Hrsg.) (2005): The CanMEDS 2005 physician competency framework.
Better standards. Better physicians. Better care. Ottawa: The Royal College of
Physicians and Surgeons of Canada. Verfügbar unter: http://www.ub.edu/¬
medicina_unitateducaciomedica/documentos/CanMeds.pdf [04.11.2013].

Gläser-Zikuda, M., Hascher, T. (Hrsg.) (2007): Lernprozesse dokumentieren,
reflektieren und beurteilen. Bad Heilbrunn: Klinkhardt.

Greb, U. (2003): Identitätskritik und Lehrerbildung. Frankfurt a. M.: Mabuse.

Gruber, H., Mandl, H., Renkl, A. (2000): Was lernen wir in Schule und Hochschule: Träges Wissen? In: Mandl, H., Gerstenmaier, J. (Hrsg.): Die Kluft zwi-

schen Wissen und Handeln. Empirische und theoretische Lösungsansätze. Göttingen, Bern, Toronto, Seattle: Huber, S. 139–156.

Helmke, A. (2006): Was wissen wir über guten Unterricht. Über die Notwendigkeit einer Rückbesinnung auf den Unterricht als dem »Kerngeschäft« der Schule. In: Pädagogik Nr. 2, Jg. 2006, S. 42–45.

Helmke, A., Helmke, T., Lenske, G., Pham, G., Praetorius, A.-K., Schrader, F.-W., Ade-Thurow, M. (2011): EMU – Evidenzbasierte Methoden der Unterrichtsdiagnostik und -entwicklung. Version 3.1 (17.10.2011). Verfügbar unter: http://¬ www.unterrichtsdiagnostik.de/ [31.07.2013].

Helmke, A., Helmke, T., Schrader, F.-W. (2007): Qualität von Unterricht. Aktuelle Tendenzen und Herausforderungen im Hinblick auf die Evaluation und Entwicklung von Schule und Unterricht. In: Pädagogische Rundschau Nr. 5, Jg. 61, S. 527–543.

Henze, K.-H., Piechotta, G. (Hrsg.) (2004): Brennpunkt Pflege. Beschreibungen und Analyse von Belastungen des pflegerischen Alltags. Frankfurt a. M.: Mabuse.

Herrmann, U. (2009): Gehirnforschung und die neurodidaktische Revision schulisch organisierten Lehrens und Lernens. In: Herrmann, U. (Hrsg.): Neurodidaktik. Weinheim und Basel: Beltz.

Herrmann, U. (Hrsg.) (2009): Neurodidaktik. Weinheim und Basel: Beltz.

Holtappels, H. G. (2009): Unterrichtsentwicklung und Schulentwicklung. In: Blömeke, S., Bohl, T., Haag, L., Lang-Wojtasik, G., Sacher, W. (Hrsg.): Handbuch Schule. Theorie – Organisation – Entwicklung. Bad Heilbrunn: UTB-Verlag, S. 588–592.

Holoch, E. (2002): Situiertes Lernen und Pflegekompetenz. Bern, Göttingen, Toronto, Seattle: Huber.

Holz, H., Koch, J., Schemme, D., Witzgall, D. (Hrsg.) (1998): Lern- und Arbeitsaufgabenkonzepte in Theorie und Praxis. Bielefeld: Bertelsmann.

Huisinga, R., Lisop, I., Speier, H. D. (1999): Lernfeldorientierung. Frankfurt a. M.: Gesellschaft z. Förd. arbeitsorient. Forsch. u. Bild.

Hundenborn, G. (2007): Fallorientierte Didaktik in der Pflege. München und Jena: Urban & Fischer.

Issing, L., Klimsa, P. (1997): Information und Lernen mit Multimedia. Weinheim: Beltz.

Kaiser, F.-J. (1983): Die Fallstudie. Bad Heilbrunn (Obb.): Klinkhardt.

Kaiser, F.-J., Kaminski, H. (1999): Methodik des Ökonomie-Unterrichts. Bad Heilbrunn (Obb.): Klinkhardt.

Keuchel, R. (2005): Bildungsarbeit in der Pflege. Düsseldorf: Jakobs Verlag.

Klafki, W. (1957): Das pädagogische Problem des Elementaren und die Theorie der kategorialen Bildung. Weinheim: Beltz.

Klieme, E. (2007): Aspekte einer zukünftigen Lehrerbildung. In: Staatliche Seminare für Didaktik und Lehrerbildung (Hrsg.): Lehrerbildung für die Zukunft. Kongress »Lehrerbildung für die Zukunft«, Tübingen 23./24. März 2007. Referate & Ergebnisse. Stuttgart, S. 46–62.

Klieme, E. (2006): Empirische Unterrichtsforschung: aktuelle Entwicklungen, theoretische Grundlagen und fachspezifische Befunde. In: Zeitschrift für Pädagogik, Nr. 6, Jg. 53, S. 765–773.

Klieme, E., Rakoczy, K. (2008): Empirische Unterrichtsforschung und Fachdidaktik. Outcomeorientierte Messung und Prozessqualität von Unterricht. In: Zeitschrift für Pädagogik, Nr. 2, Jg. 54, S. 222–237.

Knoll, J. (2007): Kurs- und Seminarmethoden. Weinheim: Beltz.

Kohlberg, L. (1964): Development of moral character and moral ideology. In: Hoffmann, M., Hoffmann, L. (Hrsg.): Review of child development research. New York: Russel Sage Foundation.

Kosiol, E. (1967): Die Behandlung praktischer Fälle im betriebswirtschaftlichen Unterricht (Case method). Ein Berliner Versuch. Berlin: Duncker & Humblot.

Krathwohl, D. R., Bloom, B. S., Masia, B. B. (1975): Taxonomie von Lernzielen im affektiven Bereich. Weinheim und Basel: Beltz.

127

Kuhn, T. S. (1997): Die Struktur wissenschaftlicher Revolutionen. Frankfurt a. M: Suhrkamp.

Kultusministerkonferenz (KMK): Sekretariat der ständigen Konferenz der Kultusminister der Länder in der Bundesrepublik Deutschland (KMK) (2007): Handreichung für die Erarbeitung von Rahmenlehrplänen der Kultusministerkonferenz (KMK) für den berufsbezogenen Unterricht in der Berufsschule und ihre Abstimmung mit Ausbildungsordnungen des Bundes für anerkannte Ausbildungsberufe. Bonn. Verfügbar unter: http://www.kmk.org/fileadmin/veroef¬fentlichungen_beschluesse/2007/2007_09_01-Handreich-Rlpl-Berufsschule.pdf [31.07.2013].

Landenberger, M., Stöcker, G., Filkins, J., de Jong, A., Them, C., Selinger, Y. (2005): Ausbildung der Pflegeberufe in Europa. Vergleichende Analyse und Vorbilder für eine Weiterentwicklung in Deutschland. Hannover: Schlütersche.

Langmaak, B., Braune-Krickau, M. (2000): Wie die Gruppe laufen lernt. Weinheim: Beltz-PVU.

Lind, G. (2009): Moral ist lehrbar. Verfügbar unter: http://www.uni-konstanz.de/¬ag-moral/pdf/Lind-2012_Konstanzer-Methode_Kap-6-Moral-ist-lehrbar.pdf [31.07.2013].

Lind, G. (2003): Moral ist lehrbar. München: Oldenbourg Schulbuchverlag.

Lipowsky, F. (2007): Was wissen wir über guten Unterricht? Im Fokus: die fachliche Lernentwicklung. In: Becker, G., Feindt, A., Meyer, H., Rothland, M., Stäudel, L., Terhart, E. (Hrsg.): Guter Unterricht. Maßstäbe & Merkmale, Wege & Werkzeuge. Friedrich Jahresheft XXV. Seelze: Friedrich-Verlag, S. 26–30.

Lisop, I., Huisinga, R. (2004): Arbeitsorientierte Exemplarik. Frankfurt a. M.: Gesellschaft z. Förd. arbeitsorient. Forsch. u. Bild.

Mandl, H., Kopp, B., Dvorak, S. (2004): Aktuelle theoretische Ansätze und empirische Befunde im Bereich der Lehr-Lern-Forschung – Schwerpunkt Erwachsenenbildung – Bonn: DIE. http://www.die-bonn.de/esprid/dokumente/doc-2004/¬mandl04_01.pdf [31.07.2013].

Mandl, H., Gruber, H., Renkl, A. (2002): Situiertes Lernen in multimedialen Lernumgebungen. In: Issing, L., Limsa, P. (Hrsg.): Information und Lernen mit Multimedia und Internet. 2. Aufl. Weinheim: Beltz, S. 167–178.

Mattes, W. (2002): Methoden für den Unterricht. Paderborn: Schöningh Verlag.

Mickel, W. W. (Hrsg.) (1999): Handbuch zur politischen Bildung, Band 358 der Schriftenreihe der Bundeszentrale für Politische Bildung. Bonn: Bundeszentrale für politische Bildung.

Mietzel, G. (2003): Pädagogische Psychologie des Lernens und Lehrens. Göttingen: Hogrefe.

Meyer, H. (1991): Trainingsprogramm zur Zielanalyse. Frankfurt a. M.: Athenäum.

Meyer, H. (1987): Unterrichtsmethoden. Frankfurt a. M.: Cornelsen.

Moust, J., Bouhuijs, P., Schmidt, H. (1999): Problemorientiertes Lernen. Wiesbaden: Ullstein Medical.

Müller, K. (2007): In guten Händen. Gesundheits- und Kinderkrankenpflege: Lernaufgaben für die praktische Ausbildung. Berlin: Cornelsen.

Müller, K. (2005): Lernaufgaben – Wissenstransfer & Reflexion in realen Berufssituationen. In: PrInterNet Nr. 12, Jg. 05, S. 685–691.

Oelke, U. (2009): Szenisches Spiel. In: Padua Nr. 3, Jg. 4, S. 13–19.

Oelke, U., Scheller, I. (2009): Szenisches Spiel in der Pflege. In: Olbrich, C. (Hrsg.): Modelle der Pflegepädagogik. München: Urban & Fischer.

Olbrich, C. (2010): Pflegekompetenz. 2. Aufl. Bern: Huber.

Olbrich, C. (Hrsg.) (2009): Modelle der Pflegepädagogik. München: Urban & Fischer.

Stefan, H., Eberl, J., Pointner, H., Streif, H., Schalek, K. (2005): Praxishandbuch Pflegeprozess: Lernen – Verstehen – Anwenden. Wien: Springer.

Pätzold, G., Rauner, F. (2006): Die empirische Fundierung der Curriculumentwicklung – Annäherung an einen vernachlässigten Forschungszusammenhang. In: Pätzold, G., Rauner, F. (Hrsg.): Qualifikationsforschung und Curriculumentwicklung. Stuttgart: Steiner Franz.

Pätzold, G., Rauner, F. (Hrsg.) (2006): Qualifikationsforschung und Curriculum-entwicklung. Stuttgart: Steiner Franz.

Rabe, M. (2005): Methodische und theoretische Reflexionen. In: Arbeitsgruppe »Pflege und Ethik« der Akademie für Ethik in der Medizin e.V. (Hrsg.): »Für alle Fälle …«. Hannover: Brigitte Kunz Verlag.

Rabenstein, R., Reichel, R., Thanhoffer, M. (1999): Das Methoden-Set. Münster: Ökotopia-Verlag.

Reiber, K. (2012): Hochschuldidaktik für gesundheitsbezogene Studiengänge. Eine theoretische Grundlegung. Tübinger Beiträge zur Hochschuldidaktik, Band 8/1. Verfügbar unter: http://tobias-lib.uni-tuebingen.de/volltexte/2012/6290/pdf/¬reiber.pdf [31.07.2013].

Reiber, K. (2011a): Berufsfeld und hochschuldidaktische Perspektiven auf Gesundheitsprofessionen. Ein bildungstheoretisch-fallorientierter Zugang. In: Pflegewissenschaft Nr. 2, Jg. 13, S. 96–99.

Reiber, K. (2011b): Evidenzbasierte Pflegeausbildung – ein systematisches Review zur empirischen Forschungslage. In: Zeitschrift für Medizinische Ausbildung, Nr. 2, Jg. 28. Verfügbar unter: http://www.egms.de/static/de/journals/zma/2011-28/¬zma000739.shtml [31.07.2013].

Reiber, K. (2010): Evidence based Teaching – Empirische Bildungsforschung aufgegriffen in hochschuldidaktischer Absicht. In: Behrendt, B., Tremp, P., Voss, H.-P., Wildt, J. (Hrsg.): Neues Handbuch Hochschullehre. 44. Ergänzungslieferung, A 1.3. Berlin: Raabe, S. 1–16.

Reiber, K., Linde, A.-C. (im Druck, 2013): Pflegeausbildung im tertiären Bildungssystem – Bestandsaufnahme und Einschätzung auf der Basis einer Curriculumanalyse. In: Kaufhold, M., Knigge-Demal, B., Makowsky, K. (Hrsg.): Akademisierung und Forschung in den Gesundheitsberufen. Münster: LIT.

Reiber, K., Wesselborg, B. (2013): Evidenzbasierte Unterrichtsentwicklung durch mehrperspektivische Evaluation. Ein methodisch abgesichertes Verfahren zur Verbesserung von Unterrichtsqualität. In: Pflegewissenschaft Nr. 6, Jg. 15, S. 367–371.

Reiber, K., Gerds, M. (2012): Evaluation im Zeichen von Qualitätsentwicklung: eingebettet, evidenzbasiert, hochschulspezifisch und mehrperspektivisch. In: Behrendt, B., Tremp, P., Voss, H.-P., Wildt, J. (Hrsg.): Neues Handbuch Hochschullehre. 44. Ergänzungslieferung, I 2.9. Berlin: Raabe, S. 1–20.

Reiber, K., Trempp, P. (2007): Eulen nach Athen! Forschendes Lernen als Bildungsprinzip. In: Behrendt, B., Voss H.-P., Wildt, J. (Hrsg.): Neues Handbuch Hochschullehre, 30. Ergänzungslieferung, A 3.6. Berlin: Raabe, S. 1–14.

Reinmann, G., Mandl, H. (2006): Unterrichten und Lernumgebungen gestalten. In: Krapp, A., Weidenmann, B. (Hrsg.): Pädagogische Psychologie. Ein Lehrbuch. 5. Aufl. Weinheim und Basel: Beltz PVU, S. 613–658.

Remmers, H. (2000): Pflegerisches Handeln. Wissenschafts- und Ethikdiskurse zur Konturierung der Pflegewissenschaft. Bern, Göttingen, Toronto, Saettle: Huber.

Remmers et al. (2004): Berufliche Belastung in der onkologischen Pflege. In: Henze, K.-H., Piechotta, G. (Hrsg.): Brennpunkt Pflege. Beschreibungen und Analyse von Belastungen des pflegerischen Alltags. Frankfurt a.M.: Mabuse.

Ried, S. (2001): Transfer in der Bildung fördern – Aspekte aus der Forschung. In: Sieger, M. (Hrsg.): Pflegepädagogik. Bern, Göttingen, Toronto, Seattle: Huber.

Riedel, A., Lehmeyer, S., Elsbernd, A. (2013): Einführung von ethischen Fallbesprechungen: Ein Konzept für die Pflegepraxis. Lage: Lippe-Verlag.

Rolff, H.-G. (2010): Schulentwicklung als Trias von Organisations-, Unterrichts- und Personalentwicklung. In: Bohl, T., Helsper, W., Holtappels, H. G., Schelle, C. (Hrsg.): Handbuch Schulentwicklung. Bad Heilbrunn: Klinkhardt/utb, S. 29–36.

Rolff, H.-G. (2008): Unterrichtsentwicklung etablieren und leben. In: Berkemeyer, N., Bos, W., Manitius, V., Müthing, K. (Hrsg.): Unterrichtsentwicklung in Netzwerken. Konzeptionen, Befunde, Perspektiven. Münster: Waxmann, S. 73–93.

Ruf, U. (2011): Dialogische Didaktik. Eine Grundlage für ertragreiche Entwicklungsportfolios. In: Brunner, I. (Hrsg.): Das Handbuch Portfolioarbeit. Velber: Kallmeyer.

Sandkühler, H.-J. (Hrsg.) (1990): Europäische Enzyklopädie zu Philosophie und Wissenschaften. Bd. 4. Hamburg: Meiner Felix Verlag.

Schäffler, A., Menche, N., Bazlen, U., Kommerell, T. (Hrsg.) (2000): Pflege heute. München und Jena: Urban & Fischer.

Scheller, I. (1998): Szenisches Spiel. Handbuch für die Pädagogische Praxis. Berlin: Cornelsen.

Scheller, I. (1981): Erfahrungsbezogener Unterricht. Praxis, Planung, Theorie. Königstein Ts.: Scriptor.

Schonhardt, M., Wilke-Schnaufer, J. (1998): Aspekte eines Anleitungssystems zur Erstellung von Arbeits- und Lernaufgaben. In: Holz, H., Koch, J., Schemme, D., Witzgall, E. (Hrsg.): Lern- und Arbeitsaufgabenkonzepte in Theorie und Praxis. Bielefeld: Bertelsmann, S. 113–134.

Schröder, T. (2009): Arbeits- und Lernaufgaben für die Weiterbildung. Bielefeld: Bertelsmann.

Schwarz-Govaers, R. (2010): Bewusstmachen der subjektiven Theorien als Voraussetzung für handlungsrelevantes berufliches Lernen. Ein handlungstheoretisches Arbeitsmodell zur Pflegedidaktik. In: Ertl-Schmuck, R., Fichtmüller, F. (Hrsg.): Theorien und Modelle der Pflegedidaktik. Weinheim und München: Beltz Juventa, S. 166–199.

Schwarz-Govaers, R. (2001): Subjektive Theorien von Pflegeschülerinnen und ihre Bedeutung für die Lehrenden in Theorie und Praxis. In: PrInterNet Nr. 2, Jg. 01, S. 282–290.

Sieger, M. (Hrsg.) (2001): Pflegepädagogik. Bern, Göttingen, Toronto, Seattle: Huber.

Steiner, E. (2005): Erkenntnisentwicklung durch Arbeiten am Fall. Verfügbar unter: https://www.ewi.tu-berlin.de/fileadmin/i49/dokumente/1143711480_diss_steiner.pdf [31.07.2013].

Storsberg, A, Neumann, C., Neiheiser, R. (2006): Krankenpflegegesetz. Stuttgart: Kohlhammer.

Tedesco, P. H. (1983): Die Kunst der Fall-Diskussion. In: Kaiser, F.-J. (Hrsg.): Die Fallstudie. Bad Heilbrunn (Obb.): Klinkhardt, S. 123–147.

Wack, O. G., Detlinger, G., Grothoff, H. (1998): Kreativ sein kann jeder. Hamburg: Windmühle.

Webler, W.-D. (2007): Geben wir mit der Akkreditierung das Hochschulniveau unserer Studiengänge preis? Zur Differenz von Schule und Hochschule. In: Das Hochschulwesen Nr. 1, Jg. 55, S. 15–20.

Weinert, F. E. (2001): Vergleichende Leistungsmessung in Schulen – eine umstrittene Selbstverständlichkeit. In: Ders. (Hrsg.): Leistungsmessungen in Schulen. Weinheim und Basel: Beltz, S. 17–31.

Wermke, M., Drosdowski, G. (2007): Fremdwörterbuch. In: Der Duden in 12 Bänden – das Standardwerk zur deutschen Sprache. 9. Aufl. Mannheim: Bibliographisches Institut & F.A. Brockhaus.

Werning, R., Kriwet, I. (1999): Problemlösendes Lernen. In: Pädagogik Nr. 10, S. 6–11.

Wilke-Schnaufer, J., Schonhardt, M., Frommer, H., Weidhaas, H. (1998): Lern- und Arbeitsaufgaben für die Berufsbildung: Ergebnisse aus dem Modellversuch »Dezentrales Lernen in Klein- und Mittelbetrieben«. BIBB. Bonn: Bertelsmann.

Winter, F. (2007): Fragen der Leistungsbewertung beim Lerntagebuch und Portfolio. In: Gläser-Zikuda, M., Hascher, T. (Hrsg.): Lernprozesse dokumentieren, reflektieren und beurteilen. Bad Heilbrunn: Klinkhardt, S. 109–132.

Wissenschaftsrat (WR) (2012): Empfehlungen zu hochschulischen Qualifikationen für das Gesundheitswesen. Verfügbar unter: http://www.wissenschaftsrat.de/download/archiv/2411–12.pdf [31.07.2013].

Wittneben, K. (2003): Pflegekompetenz in der Weiterbildung für Pflegelehrerinnen und Pflegelehrer. Frankfurt a.M.: Lang, Peter, Internationaler Verlag Der Wissenschaften.

Stichwortverzeichnis

Stephanie Schmiedgen/Bettina Nitzschke/Hilde Schädle-Deininger/
Susanne Schoppmann

Psychiatrie

2014. 204 Seiten. Kart.
€ 24,99
ISBN 978-3-17-023017-0

Pflege fallorientiert lernen und lehren

In diesem Band werden allgemeine theoretische Grundlagen des umfassenden Gebiets der psychiatrischen Pflege beschrieben und in einzelnen
Fallbeispielen erweitert, vertieft und angewendet. Die Beispiele geben
einen Einblick sowohl in wichtige psychiatrische Krankheitsbilder, in
Versorgungsstrukturen als auch in konkretes psychiatrisch-pflegerisches
Handeln. Es wird dabei auch aufgezeigt, dass psychische Erkrankungen
zutiefst menschlich sind.

Stephanie Schmiedgen, Fachkrankenschwester in der Psychiatrie,
Praxisanleiterin. **Bettina Nitzschke**, Fachkrankenschwester in der
Psychiatrie, Leiterin für therapeutischen Tanz. **Hilde Schädle-Deininger**,
Dipl.-Pflegewirtin (FH), Lehrerin für Pflegeberufe, Fachkrankenschwester in der Psychiatrie, Leiterin der Weiterbildung zur Fachpflegerin für
psychiatrische Pflege, Lehrbeauftragte. **Dr. Susanne Schoppmann**, Fachkrankenschwester für psychiatrische Pflege, Pflegewissenschaftlerin,
arbeitet beim Regenbogen e. V. Duisburg.

Leseproben und weitere Informationen unter www.kohlhammer.de

W. Kohlhammer GmbH · 70549 Stuttgart
Fax 0711/7863 - 8430 · vertrieb@kohlhammer.de

Kohlhammer

Birte Mensdorf

Schüleranleitung in der Pflegepraxis

Hintergründe, Konzepte, Probleme, Lösungen

5., aktualisierte und erweiterte Auflage 2013
236 Seiten. Kart.
€ 24,90
ISBN 978-3-17-023387-4

Dieses mittlerweile in der 5. Auflage vorliegende Standardwerk vermittelt detailliertes Hintergrundwissen zu den Themen Lernmodelle und effektive Lernprozesse in der Pflegepraxis, Anleitungsmethoden, Anforderungsschwerpunkte einzelner medizinischer Fachgebiete, Kommunikations- und Gesprächsführungstechniken, schriftliche Beurteilung und Organisationshilfen. Zahlreiche Praxisbeispiele, Formulare und Checklisten erleichtern die Umsetzung. Weitere Inhalte sind: die Bedeutung des Kompetenzerwerbs in der Ausbildung, die Wirkung nonverbaler Kommunikation, Formen selbstgesteuerten Lernens, die Bedeutung des Coachings und die Rolle und Aufgabe der Praxisanleiterin als Fachprüferin beim praktischen Examen. Neu hinzugekommen sind in der 5. Auflage die Themen Lernwerkstatt und Schulstation.

Birte Mensdorf (nun Stährmann), Krankenschwester, Lehrerin für Pflegeberufe und Kommunikationswirtin arbeitet als Referentin für Presse- und Öffentlichkeitsarbeit bei der Evangelischen Diakonissenanstalt Stuttgart.

Leseproben und weitere Informationen unter www.kohlhammer.de

W. Kohlhammer GmbH · 70549 Stuttgart
Fax 0711/7863 - 8430 · vertrieb@kohlhammer.de

Kohlhammer

Friedhelm Henke

Nachweisheft der praktischen Ausbildung für die Gesundheits- und Krankenpflege

Kompetenz- und Themenbereichsorientierung gemäß KrPflAPrV

3., überarbeitete und erweiterte Auflage 2012
120 Seiten. Kart. Inkl. Content⁺ᴾᴸᵁˢ
€ 26,90
ISBN 978-3-17-022139-0

Dieses rechtlich erforderliche Nachweisheft ermöglicht die Dokumentation aller praktischen Ausbildungsphasen. Entlang der Themenbereiche der Ausbildungs- und Prüfungsverordnung für die Berufe in der Krankenpflege (KrPflAPrV) und der darin geforderten Schulnotenorientierung für praktische Leistungen, gewährleistet es die Lernortkooperation von Theorie und Praxis. Optionale Praxismodule, Beurteilungsbögen für sämtliche praktische Ausbildungsphasen in der ambulanten und stationären Pflege sowie Selbsteinschätzungen und Beurteilungen durch die Praxisanleitung/-begleitung dienen der Entwicklung der pflegerischen Handlungskompetenz, die in Fach-, Methoden-, Sozial- und Personalkompetenzen unterteilt ist.

Content⁺ᴾᴸᵁˢ beinhaltet viele editier- und ausdruckbare Arbeitshilfen.

Friedhelm Henke, Gesundheits- und Krankenpfleger, Dozent und Fachautor in der Aus-, Fort- und Weiterbildung.

Leseproben und weitere Informationen unter www.kohlhammer.de

W. Kohlhammer GmbH · 70549 Stuttgart
Fax 0711/7863 - 8430 · vertrieb@kohlhammer.de   **Kohlhammer**